TURMA DA PÁGINA PIRATA EM:

A MÁQUINA ANTIBULLYING

MARCELO AMARAL

VERMELHO MARINHO

Edição: Ana Cristina Rodrigues
Revisão: Tomaz Adour
Capa: Marcelo Amaral

A485m

Amaral, Marcelo, 1976-
A Máquina Antibullying / Marcelo Amaral. – Rio de Janeiro: Vermelho Marinho, 2013
168 p. ; il. – (Coleção Turma da Página Pirata, v. 1)

ISBN: 978-85-8265-007-3
Com ilustrações do autor

1. Literatura infantil – Brasil. I. Título

CDD: 806.068

Editora Vermelho Marinho Usina de Letras LTDA
Rio de Janeiro - Departamento Editorial:
Rua Visconde de Silva, 60/102

www.vermelhomarinho.com.br

Conheça a TURMA DA

PÁGINA PIRATA

Antes de começarmos a nossa história, é importante responder a uma pergunta: O que é essa tal "Página Pirata"?

A Página Pirata é um jornalzinho impresso voltado para alunos e funcionários do Colégio São João, a escola de maior renome da cidade de Vale Prateado.

Não se trata de uma publicação oficial do colégio, mas de uma iniciativa totalmente independente nascida de um trabalho para a aula de Português e que, graças à dedicação de seus jovens idealizadores, acabou se tornando muito popular tanto dentro quanto fora da escola.

Todos os sete integrantes da equipe do jornal estudam juntos no quinto ano do ensino fundamental e assinam suas respectivas colunas com pseudônimos iniciados com a letra "P". Esses apelidos, dados por eles mesmos uns aos outros, acabaram "pegando" na escola. E como o próprio nome Página Pirata dá a entender, essa turma chegou para ousar, divertir e conquistar seus leitores.

SIGA NO TWITTER: @jupastilha

IDADE: 10 ANOS
CARGO NA PÁGINA PIRATA:
EDITORA-CHEFE E REPÓRTER INVESTIGATIVA

JULIANA POSSUI INTELIGÊNCIA ACIMA DA MÉDIA, QUE SÓ NÃO É MAIOR QUE A ALERGIA QUE ELA TEM A QUASE TUDO.
POR VIVER SEMPRE DOENTE, SEUS AMIGOS A APELIDARAM DE PASTILHA.
SEU AR DE ETERNO CANSAÇO PODE ATÉ LEVANTAR DÚVIDAS QUANTO A SUA CAPACIDADE DE LIDERANÇA, MAS BASTA TROCAR DUAS OU TRÊS PALAVRAS COM ELA PARA NOTARMOS SUA PERSONALIDADE FORTE.

FORÇA	1
INTELIGÊNCIA	7
VELOCIDADE	3
LIDERANÇA	10
CORAGEM	8

IDADE: 9 ANOS
CARGO NA PÁGINA PIRATA:
COLUNISTA CIENTÍFICO

FILHO DE UM CASAL DE CIENTISTAS, ESSE MENINO-GÊNIO ESTÁ BEM ADIANTADO NA ESCOLA. É O MEMBRO MAIS JOVEM DO JORNAL E O RESPONSÁVEL PELAS MATÉRIAS DE MAIOR TEOR DIDÁTICO.
A FOME QUE SENTE É PROPORCIONAL À CRIATIVIDADE DA QUAL SE UTILIZA PARA PROJETAR AS MAIS MIRABOLANTES INVENÇÕES. GORDINHO E VICIADO EM GULOSEIMAS, ACABOU GANHANDO DOS AMIGOS O APELIDO DE PAÇOCA.

FORÇA	4
INTELIGÊNCIA	10
VELOCIDADE	1
LIDERANÇA	7
CORAGEM	3

IDADE: 13 ANOS

CARGO NA PÁGINA PIRATA:
ILUSTRADOR E QUADRINISTA

ALUNO REPETENTE, BETO É O MAIS VELHO DA TURMA E, POR ISSO, SE SENTE OBRIGADO A SEMPRE PROTEGER OS DEMAIS. O APELIDO QUE GANHOU SE DEVE AO SEU PAVIO CURTO: ELE NUNCA FOGE DE UMA BRIGA.
ÓRFÃO DE MÃE E DE ORIGEM HUMILDE, PIMENTA PRECISA SE DESDOBRAR ENTRE A ESCOLA E OS BICOS COMO ENTREGADOR.
É SOBRINHO DO DIRETOR DA ESCOLA, QUE LHE CONCEDEU UM BOLSA E VIVE PEGANDO NO SEU PÉ PARA QUE ELE SE DEDIQUE AOS ESTUDOS.

FORÇA	10
INTELIGÊNCIA	2
VELOCIDADE	6
LIDERANÇA	8
CORAGEM	10

SIGA NO TWITTER:
@asophiaprincesa

IDADE: 11 ANOS

CARGO NA PÁGINA PIRATA:
COLUNISTA DE FOFOCAS

A VIDA DA GAROTA MAIS LINDA E POPULAR DA ESCOLA É UM VERDADEIRO CONTO DE FADAS: ELA SEMPRE CONSEGUE TUDO O QUE DESEJA E MAIS UM POUCO. SEUS PAIS MILIONÁRIOS NÃO LHE DEIXAM FALTAR ABSOLUTAMENTE NADA, E SUA COLUNA DE FOFOCAS NA PÁGINA PIRATA É CONSIDERADA LEITURA MAIS DO QUE OBRIGATÓRIA PELOS COLEGAS.
É UMA DEFENSORA FERRENHA DOS DIREITOS DOS ANIMAIS, PRINCIPALMENTE OS DE SUA CADELA YORKSHIRE, PENÉLOPE.

FORÇA	3
INTELIGÊNCIA	3
VELOCIDADE	6
LIDERANÇA	8
CORAGEM	3

SIGA NO TWITTER: @zecapiolho

IDADE: 10 ANOS

CARGO NA PÁGINA PIRATA:

FOTÓGRAFO

SUPER ATIVO E DIVERTIDO, É O AMIGO QUE TODOS GOSTARIAM DE TER POR PERTO, NÃO FOSSE POR UM DETALHE: SEU FEDOR PAVOROSO, RESULTADO DE SUA AVERSÃO À TOMAR BANHO. A COCEIRA CONSTANTE QUE SENTE NA CABEÇA RENDEU-LHE O APELIDO DE PIOLHO, PARA DESESPERO DE SUA MÃE E TAMBÉM DE SEU IRMÃO, PINGUIM. CORAGEM NÃO É O PONTO FORTE DESSE ASPIRANTE A FOTÓGRAFO. MAS ISSO ELE COMPENSA COM MUITO BOM HUMOR.

FORÇA	6
INTELIGÊNCIA	4
VELOCIDADE	8
LIDERANÇA	6
CORAGEM	4

IDADE: 11 ANOS

CARGO NA PÁGINA PIRATA:

CRIADOR DE PASSATEMPOS E ATIVIDADES

INTELIGENTE E OBSERVADOR, PINGUIM GANHOU ESSE APELIDO POR NUNCA SENTIR FRIO, SENDO CAPAZ DE SAIR SEM CAMISA NO INVERNO SEM SE DEIXAR ABALAR. SOFRE COM O CALOR DO VERÃO, FICANDO RAPIDAMENTE SUADO DOS PÉS À CABEÇA. NÃO É INCOMUM QUE SEUS LIVROS E CADERNOS SE DESFAÇAM DURANTE A AULA DE TÃO MOLHADOS. PINGUIM PERDEU UM ANO ESCOLAR APÓS A MORTE DO PAI E PASSOU A ESTUDAR NA MESMA TURMA QUE O IRMÃO, PIOLHO.

FORÇA	6
INTELIGÊNCIA	6
VELOCIDADE	5
LIDERANÇA	5
CORAGEM	7

SIGA NO TWITTER: @petecavivi

IDADE: 10 ANOS

CARGO NA PÁGINA PIRATA:

COLUNISTA DE SAÚDE E NUTRIÇÃO

NASCIDA EM UMA FAMÍLIA DE ATLETAS, AMA PRATICAR ESPORTES, COMO A GINÁSTICA ARTÍSTICA, QUE É A SUA MAIOR PAIXÃO. LINDA, CHEIA DE PERSONALIDADE E ATITUDE, ADORA SE DIVERTIR COM PRINCESA, SUA MELHOR AMIGA.

PETECA GANHOU ESSE APELIDO POR CAUSA DE SEU CABELO ESPETADO E POR NÃO CONSEGUIR FICAR PARADA MAIS DO QUE DOIS SEGUNDOS SEM COMEÇAR A SE EXERCITAR.

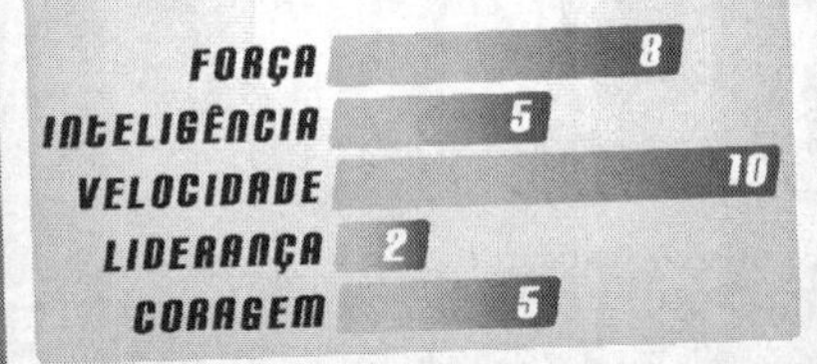

Saiba mais sobre essa turma em:

www.paginapirata.com.br

www.facebook.com/PaginaPirata

www.palladinum.com.br

www.facebook.com/Palladinum

Capítulo 1
Uma Animada Aula de Ciências

As aulas de Ciências eram as preferidas dos alunos do Colégio São João. Afinal, o carisma do professor Pedro era imbatível: não havia quem não gostasse da forma leve e divertida com a qual ele conduzia suas explicações, fisgando a atenção de suas turmas com a mesma habilidade que um pescador veterano captura seus peixes. O sentimento não era diferente entre os membros da turma da Página Pirata: todos os sete integrantes do jornalzinho adoravam o professor, e nutriam por ele uma profunda admiração.

As razões que levavam os integrantes dessa patota a admirá-lo eram as mais diversas possíveis, e podem nos revelar um pouquinho sobre a personalidade de cada um deles.

Vamos começar por Juliana, mais conhecida como Pastilha, a editora-chefe da Página Pirata. Ela admirava Pedro por sua capacidade de impor respeito em suas turmas sem jamais deixar de ser amável, e pela forma como ele conseguia estimular seus alunos a quererem sempre dar o melhor de si – e conseguirem! Isto refletia um pouco da própria personalidade da jovem; afinal, mesmo tendo uma saúde muito frágil, essa garota esperta sabia conduzir as reuniões de pauta do jornalzinho com a mesma maestria de um editor veterano.

Plínio, o Paçoca, era um menino-gênio. É verdade que era também um comilão bastante rechonchudo, mas era um comilão-rechonchudo-gênio. Chegava até a ser engraçado ver que, dentre todos os alunos da escola, fosse justamente ele o maior admirador de Pedro. Mérito do professor, que só podia ser muito bom mesmo para conseguir, em suas aulas, prender a atenção de um menino que era capaz de criar as mais mirabolantes invenções e que, sendo filho de cientistas, tinha até o seu próprio laboratório em casa.

Os irmãos Zeca e Léo, ou melhor, Piolho e Pinguim, adoravam o professor simplesmente por achá-lo o cara mais engraçado e gente boa do mundo. E também pelo modo como ele fazia sucesso com as garotas. Coisa que os dois, coitados, não conseguiam. Afinal, o primeiro fedia feito um gambá por não gostar de tomar banho; o segundo suava horrores até nos dias mais frios, ficando todo melecado. Assim ficava mesmo complicado...

Princesa e Peteca, as meninas mais populares do Colégio São João, faziam parte desse grupo de "alunas-tietes" que idolatravam o professor bonitão. Durante as aulas no laboratório, ambas faziam questão de ficar pertinho dele, não necessariamente para prestarem atenção ao que ele dizia.

Já Beto, o Pimenta, gostava de Pedro porque era com ele que o rapaz conseguia tirar suas melhores notas. Não que o professor lhe facilitasse as coisas, longe disso, mas porque ele conseguia explicar a matéria de um modo que Pimenta sempre entendia. E para um aluno de origem humilde, bolsista, várias vezes repetente e que precisava se desdobrar entre a escola e os bicos como entregador para fazer algum dinheiro, aquilo era um feito e tanto!

Naquele dia, o professor dava uma aula animada sobre fotossíntese. No laboratório da escola, as mais variadas espécies de plantas estavam sendo demonstradas aos alunos, que aprendiam, na prática, como se dá esse processo.

— A fotossíntese, ou a "síntese que usa luz", é realizada pelos seres vivos clorofilados, ou seja, aqueles que têm clorofila, como forma de obtenção de energia — explicou o professor. — Isso significa que essas plantas conseguem fazer o próprio alimento absorvendo a luz do Sol e o gás carbônico que existe no ar. No processo, produzem a glicose e o oxigênio.

Pedro escreveu a seguinte fórmula no quadro:

Gás carbônico + Água + Luz =
Glicose + Oxigênio

— E onde entra a clorofila aí, professor? — quis saber uma aluna.

Pedro parabenizou a menina pela pergunta e se pôs a desenhar no quadro, mostrando como a água é absorvida pela planta através de suas raízes, chegando às folhas. Ele pegou um pilot verde e coloriu toda a folha, mostrando que era ali que estava a clorofila, o pigmento mais importante no processo. Explicou que é a clorofila que capta a luz solar, produzindo a energia necessária para que a planta possa crescer, florescer e dar frutos.

Os jovens acompanhavam à tudo sem dar um pio. A única interrupção foi quando o estômago de Paçoca roncou tão alto, mas tão alto, que a turma inteira deu risada. O garoto ficou roxo de vergonha, e tratou de se justificar:

— É que já tá quase na hora do lanche e eu tô morrendo de fome...!

— Pois é, gente. E diferente das plantas, o Paçoca não faz fotossíntese. Ele precisa é de comida, não de luz! — brincou Pinguim.

— Exato. O que o Paçoca faz é bolossíntese! — disparou Piolho.

— E pizzassíntese! — completou Peteca.

— Hamburguerssíntese! — gritou um garoto lá do fundo da sala.

Vendo que Paçoca não sabia onde enfiar a cara de tanta vergonha, Pedro tentou acalmar os ânimos da turma. No entanto, a algazarra só aumentou quando o sinal do recreio tocou. O professor se despediu de seus alunos, mas não sem antes lembrá-los de que os exercícios do capítulo sete deveriam ser feitos em casa, pois seriam corrigidos na próxima aula.

Ao ver que Paçoca saía cabisbaixo da sala, Pedro tratou de animá-lo:

— Ei, Plínio! Que carinha é essa? É hora do recreio! Hora do lanche!

— Ah, professor... É que eu meio que perdi a fome...

O homem se entristeceu ao ver o menino deixando a sala tão deprimido. Mas antes que pudesse dizer qualquer outra coisa, Pastilha pegou em seu braço e cochichou em seu ouvido:

— Pode deixar comigo, professor! Eu conheço um jeito de deixá-lo bem animado: vou botar ele pra trabalhar!

Pedro sorriu para Juliana, que tratou de sair correndo atrás de seu amigo.

Capítulo 2
Os Valentões

A hora do recreio é a favorita de 99,9% dos alunos do Colégio São João. Na verdade, essa preferência parece acontecer em qualquer colégio, não é mesmo? Mas essa regra não valia para Pastilha e Paçoca, os alunos mais estudiosos da escola. Desde pequenos esses dois sempre acharam muito mais legal passar o tempo dentro da sala de aula, aprendendo coisas novas com seus professores, do que brincando no pátio.

Juliana até sabia curtir um pouco mais o intervalo, mas de um jeito só dela: tratava de fazer um lanche bem rápido, para então poder se dedicar a escrever suas matérias investigativas para a Página Pirata. Volta e meia aproveitava o intervalo para convocar reuniões com sua equipe, de modo a poder acompanhar de perto as atividades de cada um: testar os passatempos criados por Pinguim, ver as fotos tiradas por Piolho, aprovar as tirinhas desenhadas por Pimenta, revisar as dicas de saúde de Peteca, corrigir a coluna de fofocas de Princesa e ler o artigo científico de Paçoca. Não é preciso dizer que o último integrante do jornal era o único que nunca reclamava dessas reuniões de última hora. Todos os outros faziam cara feia!

"Poxa, mas justo na hora do recreio!" é o que eles sempre diziam.

Para deixar o amigo inventor um pouco mais animado naquela manhã, Pastilha tratou de colocá-lo para revisar o artigo no qual ele vinha trabalhando para a próxima edição do jornalzinho. O tema era "Vida inteligente fora da Terra", onde o menino descrevia relatos e traçava teorias que comprovariam a existência de seres extraterrestres. Juliana amara o texto, porém marcara alguns trechos que considerou um tanto monótonos, podendo ser melhorados. O método da menina dera resultado: Paçoca já se esquecera do ocorrido na sala de aula, dedicando-se a revisar seu texto como um bom profissional. Até seu apetite havia voltado, e ele logo devorou o enorme sanduíche de queijo e presunto que sua mãe lhe preparara para o lanche, junto com um pacote de biscoitos e dois chocolates, um branco e outro ao leite. Ah, e uma caixinha de suco de uva também.

— Cuidado aí pra não explodir de tanto comer, ô bolo-fofo! — falou uma voz pavorosa, seguida por várias risadas.

Pastilha e Paçoca olharam irritados para Mário, um moleque de cabeça raspada, forte e grandalhão, do oitavo ano, cujo único objetivo na vida parecia ser o de querer infernizar os outros, coisa que ele fazia incrivelmente bem.

Logo atrás dele estavam Meleca e Soneca, seus dois únicos amigos. Ou seria melhor dizer, "capangas"? Juliana os achava tão retardados quanto seu "líder". O tal Meleca tinha uma aparência ridícula, exibindo aquele eterno fiapo de secreção pendurado no nariz: uma gosma esverdeada que subia e descia feito um ioiô acompanhando o ritmo de sua respiração. Já Soneca não parecia ter a menor vergonha de sua cara de debiloide, e volta e meia era visto cochilando em pé.

Paçoca optou por ignorar o comentário do valentão, preferindo focar na revisão de seu texto. Mário, que desviara a atenção da partida de futebol que estava jogando apenas para vir debochar do menino, tratou de retornar ao jogo junto com seus colegas. Além do já citado trio de delinquentes, também jogavam bola Pimenta, Pinguim e Piolho, só que no time adversário. Todos os garotos riam sem parar, davam

trombadas, xingavam-se uns aos outros, comemoravam cada gol com as mais divertidas coreografias, sempre com o intuito de zoar quem era do outro time.

De repente, alguém deu um chutão violento na bola. Mas foi um chute daqueles que só os grandes craques do futebol conseguem dar, fazendo a bola ganhar uma velocidade impressionante, de modo que nem o melhor dos goleiros conseguiria defender. Só que a bola, que mais parecia uma bala, não foi ao encontro do gol.

Foi bater justamente na cara de Paçoca.

O pobre garoto capotou para trás, caindo do banco onde estava sentado e ficando com os pés balançando no ar. Pastilha levou um susto tão grande que teve até falta de ar! Nervosa, precisou apelar para sugar de sua bombinha contra a asma e somente então foi ao socorro do amigo.

— Paçoca!!! Você tá bem?!?

— Eu... Eu... BUÁÁÁÁÁÁÁÁÁÁÁÁÁÁÁÁÁÁÁ...!!!

Logo se formou um burburinho ao redor, já que todos os alunos queriam saber o que estava acontecendo ali. O inspetor da escola, seu Raimundo, veio correndo ver se o menino estava bem. Com cuidado, colocou Paçoca de pé. Levou um susto ao ver que o rosto do garoto – que já era naturalmente redondinho – parecia agora um enorme balão de festa de aniversário de tão vermelho e inchado que estava.

Assim que o inspetor se levantou para correr com o menino até a enfermaria, deu de cara com mais um problema: Pimenta trocava sopapos com Mário, Pinguim rolava pelo chão com Soneca, e Piolho enfiava o dedo no olho de Meleca e vice-versa!

— Parem já com isso, seus moleques! Vai todo mundo pra secretaria agora mesmo! — ralhou Raimundo, furioso,

desejando ter mãos suficientes para puxar todas aquelas orelhas de uma só vez.

— Mas foram eles que começaram! — revelou Pinguim, transtornado de raiva e já suando em bicas.

— É isso aí! A gente viu quando o Mário mirou o Paçoca e chutou a bola na cara dele de propósito! — completou Piolho, que estava com o olho roxo. É bem verdade que poderia ser um roxo de sujeira, já que no caso dele, nunca se saberia dizer ao certo.

O sinal tocou novamente, anunciando o fim do recreio. O inspetor mandou que todos voltassem para suas salas, com exceção dos envolvidos na briga. Pastilha, Peteca e Princesa, que acompanhavam a cena horrorizadas, trataram de obedecer. Paçoca foi levado para a enfermaria por uma funcionária, que rapidamente começou a lhe aplicar uma bolsa com gelo no rosto. Já os seis garotos briguentos foram todos parar na diretoria. Tinham muito o que explicar!

Capítulo 3
Punição e Rivalidade

A sala do diretor Roger nunca estivera tão cheia antes! Os seis garotos brigões faziam uma grande algazarra, trocando ofensas e acusações. Como Pimenta e Mário eram os mais exaltados, foram os primeiros a levar uma bela bronca do dono do colégio.

— Beto, eu não acredito que você se envolveu numa briga de novo. Só sabe arrumar problemas o tempo todo! — esbravejou o homem. — E você, Mário? Sempre que há uma baderna na minha escola você está envolvido. Será que isso é só uma "coincidência"? Hein?

Pimenta estava furioso. Era tão evidente que a culpa de tudo aquilo era toda do Mário e do seu bando, e que ele, Pinguim e Piolho só estavam defendendo o amigo que fora machucado intencionalmente por aqueles moleques! Como era possível que o diretor da escola, seu próprio tio, não enxergasse isso?

— Beto, como é possível que você, meu próprio sobrinho, me desaponte tanto? — lamentou Roger. — Você insiste em morar com o seu pai naquela comunidade pobre, aí eu te dou todas as oportunidades para ser alguém na vida; te dou uma bolsa para estudar na minha escola, e é assim que você me agradece? Já se esqueceu que alunos bolsistas precisam ter, além de boas notas, um comportamento exemplar? E o que você faz? Não me dá nem uma coisa, nem outra!

Agora Pimenta bufava de raiva. Sentia-se humilhado pelo tio na frente dos outros garotos, que ele sabia serem todos filhos de gente com muito dinheiro. Ele até podia ouvir as risadinhas irritantes de Mário, Meleca e Soneca. Que ódio ele estava sentindo agora! Teve vontade de socar os três ali mesmo, na diretoria, mas sabia que, se fizesse isso, seria expulso da escola com toda a certeza, sendo sobrinho do dono ou não.

— Nem pensem em ficar aí rindo, como se essa conversa não fosse com vocês! — continuou o diretor, encarando agora o trio de valentões. — Amanhã terei uma reunião muito séria com os pais de todos!

Ao ouvir aquilo, Mário estremeceu. Mas foi um tremelique daqueles que a gente dá e todo mundo em volta percebe. O rapaz fez cara de bebê chorão e se pôr a implorar ao diretor, para surpresa até mesmo de seus comparsas:

— Não, por favor! O meu pai aqui na escola, não, seu diretor! Tudo menos isso! Se ele precisar vir até aqui vai me perturbar pro resto da vida!!! É capaz até de... de...

Pimenta, Piolho e Pinguim não conseguiram segurar os risos. Ver aquele valentão choramingando feito uma menininha era, para eles, uma realização. Piolho lamentou não estar com o celular ali para poder registrar aquele momento glorioso e depois jogar o vídeo na internet.

Enquanto o diretor dava continuidade ao sermão - que se estendeu por mais de uma hora -, Mário olhava feio para seus novos desafetos. Ao término da detenção, os jovens deixaram o escritório acompanhados do inspetor. Ao mesmo tempo, Paçoca deixava a enfermaria, ainda com uma bolsa de gelo grudada no rosto. Estava acompanhado de sua mãe, que saíra correndo da universidade onde dá aula ao receber a ligação do colégio comunicando sobre o acidente com seu filho. Irritada, a pesquisadora se dirigia até a diretoria disposta a dizer poucas e boas ao diretor.

Ela e Paçoca encontraram com Pimenta, Pinguim e Piolho no corredor, acompanhados do inspetor e da gangue do Mário. Os amigos do pequeno inventor levaram um susto ao ver o quanto o rosto dele continuava inchado por causa da bolada. Perceberam também a aflição do menino ao se deparar com Mário, que o encarou com um semblante terrível. Paçoca tratou de se esconder atrás da mãe, que lançou um olhar de ódio para o rapaz e disparou:

— Foi você quem chutou a bola no rosto do meu filho?

— Foi sem querer...

— Foi mesmo? Pois eu só te digo uma coisa, garoto: se voltar a acontecer alguma coisa "sem querer" com o meu filho aqui dentro da escola, eu juro que você vai se arrepender pro resto da vida, ouviu bem? E não me interessa de quem você é filho... Seu pai pode ser rico e poderoso, mas se você tentar qualquer outra coisa contra o meu Plínio, eu juro que vou ter uma conversa séria com ele sobre o monstro que está criando em casa. Fui clara?

O valentão engoliu em seco, desviando o olhar. A mãe de Paçoca puxou o filho pelo braço e entrou com ele na sala do diretor. O inspetor Raimundo e os jovens retomaram o caminho do pátio.

Estudantes de todos os anos desciam das salas de aula para voltarem para suas casas. Pastilha, Princesa e Peteca se encontraram com os meninos, querendo saber de todos os detalhes sobre a ida à secretaria e se Paçoca estava bem. Enquanto conversavam, foram abordados pelo trio de valentões. Mário olhou para um lado, depois para o outro, e somente após ter certeza de que o inspetor já estava bem longe e atarefado, disparou:

— Escutem bem o que eu vou dizer: de hoje em diante a gangue do Mário é inimiga da turma da Página Pirata. Ai de vocês se cruzarem o caminho da gente: vamos pegar um por um e fazer picadinho...

Pinguim e Piolho tiveram que segurar Pimenta, que já estava prestes a arrebentar a cara do valentão. Pastilha fez uma cara feia para o garoto e não se deixou intimidar:

— É preciso ser um sujeitinho muito covarde pra ameaçar um grupo que também tem meninas, sabia?

— Não seria melhor dizer: um grupo que só tem meninas? — provocou Meleca, que ria balançando aquela gosma verde que lhe escorria do nariz.

O trio de valentões gargalhou alto, chamando a atenção dos alunos que ainda estavam no pátio. Os garotos da Página Pirata não gostaram do desaforo, mas preferiram não revidar, com medo de tomarem alguma suspensão. Sem terem mais nada a fazer ali, Peteca e Princesa trataram de empurrar os valentões, ordenando que saíssem da frente delas, que elas queriam passar. O trio achou graça da petulância das duas, de modo que o líder do bando resolveu fazer mais uma de suas ameaças:

— Eu prometo que vou fazer da vida de vocês aqui na escola um verdadeiro inferno! Principalmente a daquele gorducho chorão!

Pastilha engoliu em seco e deixou a escola às pressas, acompanhada por seus amigos. Um pressentimento ruim lhe veio à mente; a certeza de que teriam dias muito difíceis pela frente.

Capítulo 4
Reunião de Pauta

Após a saída da escola, a turma foi direto para a mansão de Princesa, localizada na área mais nobre de Vale Prateado. O local era o ponto de encontro ideal para as reuniões de pauta da Página Pirata. A casa contava com um enorme escritório equipado com modernos computadores, servindo perfeitamente para o fechamento das edições. Lá o almoço era sempre muitíssimo bem servido, para alegria principalmente dos garotos, que repetiam o prato, no mínimo, umas duas ou três vezes.

Só que naquela tarde a reunião não estava rendendo nada. Os eventos ocorridos pela manhã vinham sendo discutidos à exaustão, e os ânimos estavam aflorados. Até mesmo Penélope, a *yorkshire* premiada de Princesa, estava cabisbaixa. Justo ela que sempre fazia a maior festa toda vez que aquela turma aparecia por lá.

Paçoca era o único que não estava presente, por razões óbvias: sua mãe o levara direto ao hospital a fim de se certificar de que estava tudo bem com ele. Pastilha falara com ela ao telefone e descobrira que o amigo já estava em casa descansando. Soube que ele passava bem, apesar da dor. Todos se sentiram um pouco mais aliviados com a notícia.

— Isso não pode ficar assim! — protestou Peteca, exaltada. — Aqueles três retardados precisam aprender uma lição... O diretor tinha que expulsar eles da escola!

— Expulsar? Eles tinham era que ir pra cadeia pelo que fizeram com o Paçoca! — argumentou Piolho. — Quase arrancaram a cabeça dele fora...

— Ah, se eu pudesse, eu pegava aquele Mário de jeito e daí eu socava a cara dele e...

— Pimenta, não fala assim! — ralhou Pastilha. — Violência só gera mais violência! Não é assim que se resolvem as coisas.

— Ah, e qual é a sua sugestão, chefa? — quis saber Pinguim.

Juliana odiava ser chamada assim por seus amigos.

— A minha sugestão é que a gente ignore aquele bando de delinquentes. Vamos esquecer o que aconteceu hoje e agir como gente civilizada. Aqueles três querem mais é chamar atenção, só que como são uns idiotas, só conseguem isso agindo feito bobos. Eu tenho pena de gente assim.

— A Ju tá certa, galera — concordou Princesa. — Mas...

Todos ficaram curiosos para ouvir o que a amiga rica teria a dizer.

— ... Eu sempre digo que vingança é um prato que a gente deve comer fervendo. E eu acho que o que eles fizeram com o Paçoca hoje não pode passar em branco. A gente só precisa encontrar o ponto fraco deles e agir rápido: descobrir seus segredos, inventar fofocas, espalhar boatos... O tipo de coisa que eu sei fazer muito bem, se me permitem dizer.

Todos vibraram com a sugestão da garota, exceto Pastilha, que ficou furiosa diante de uma reação tão entusiasmada frente a um plano que considerou absolutamente repulsivo. Nervosa, disparou:

— Que absurdo! Ninguém vai procurar briga na escola, ouviram bem? O Paçoca não vai querer ver a gente se metendo em confusão por causa dele. Além disso, se agirmos assim vamos estar nos rebaixando ao nível daqueles três!

— Pois eu acho que a Princesa tá certa, Ju! — disse Pimenta, lançando um sorriso apaixonado para a menina mais linda da escola, que se limitou a fazer uma careta de nojo. — Mexeu com amigo meu, mexeu comigo!

— Mas é justamente por pensar assim que você vive se metendo em confusão! Qualquer dia desses você acaba tomando alguma suspensão e é aí que o Mário e os amiguinhos dele vão rir muito. E aí como é que vai ser? O Paçoca vai se sentir ótimo...

— Mas qual é a sua sugestão, Pastilha? — quis saber Pinguim, soando inconformado. — Ficar esperando aquela gangue agir de novo? Hoje não foi a primeira vez que eles aprontaram lá na escola.

— Eu confio no nosso diretor e nos funcionários do colégio. Flagrou aquele bando fazendo mal a alguém por lá? Grita! Põe a boca no trombone! Denuncia aqueles palhaços! Mas vamos agir pela frente, não pelas costas...

— Então tá. Vamos adotar a estratégia da nossa "chefa" — disse Princesa, soando irritantemente arrogante. — Mas se alguma outra coisa acontecer com o Paçoca ou com qualquer um de nós, lembra que a culpa será sua. Fica combinado assim?

Juliana estava a ponto de explodir. Odiava o jeito com o qual a amiga sempre manipulava a situação a seu favor. Mas aquela não era a hora de ceder. Precisava manter uma postura firme, pois sabia que estava certa.

— Se todos aqui me ajudarem a denunciar os atos daquele trio sem ficar inventando coisas sobre eles... Por mim tudo bem. Assumirei a culpa se minha estratégia falhar no longo prazo. Sim, porque ao contrário de você, Princesa, eu sei ser muito paciente.

— Ah, mas é muito fácil ser paciente quando não foi você que levou uma bolada certeira na cabeça, não é verdade?

O tempo fechou de vez entre as duas garotas, que trocaram olhares de ódio. Os garotos se afastaram, com medo do que poderia acontecer ali. Aquilo foi a deixa para Peteca agir, tentando colocar panos quentes:

— Ei, ei! Amigas, não vai adiantar nada a gente ficar aqui brigando! Os inimigos são outros: Mário, Meleca e Soneca. Eu acho que a Ju merece um voto de confiança. A gente só tem que torcer pra tudo dar certo, né?

— E pra que não arranquem a cabeça do Paçoca da próxima vez... — disse Piolho, provocando risos em Princesa e recebendo um olhar repreendedor de Pastilha.

Capítulo 5
Tensão em Sala de Aula

No dia seguinte, o primeiro tempo de aula era de Geografia, com a terrível professora Lurdes, a megera mais odiada por dez entre dez alunos do Colégio São João. Até mesmo Pastilha e Paçoca tinham reservas em relação aos métodos daquela velha senhora, que falava sempre num tom monótono, adorava aplicar testes surpresa dificílimos e provas ainda mais complicadas.

Piolho costumava dizer que o rancor que ela guardava no coração só era proporcional à quantidade de batom que ela trazia grudado nos dentes amarelados. Este pode até parecer um comentário extremamente maldoso, mas somente os alunos da professora Lurdes sabem o quanto ele é pertinente.

Em resumo: a mulher era o "cão chupando manga" de tão rígida.

Enquanto a professora não subia para a sala, os jovens especulavam sobre a ausência de Paçoca, que sequer havia cruzado os portões da escola ainda. Temiam que ele não aparecesse, já que isso, no caso de um aluno estudioso como ele, só poderia significar uma coisa: que seu rosto estaria ainda mais inchado e dolorido por causa da bolada do dia anterior.

Foi então que Pinguim, que olhava pela janela, gritou para a turma:

— O Paçoca chegou, galera! Mas vocês não vão acreditar...

A turma inteira foi para o lado da sala que dava para o pátio central. Uma algazarra logo teve início, com muitos gritos e risadas. Juliana não conseguiu ver direito o que estava acontecendo e só entendeu a razão de tanto rebuliço ao ver Paçoca já dentro da sala de aula, ao lado da professora Lurdes.

O menino usava na cabeça um ridículo capacete de futebol americano.

Nem mesmo Pastilha, sua melhor amiga, conseguiu conter o riso. A turma inteira gargalhava, ignorando a presença da professora de Geografia. A velha só fazia gritar, ordenando que parassem com a baderna. Foi preciso que ela soltasse uma espécie de rugido altíssimo, que mais pareceu o urro de um dragão com dor de barriga, para que a turma se calasse de vez e todos voltassem para suas cadeiras. Paçoca foi se sentar ao lado de Juliana, sem dizer uma só palavra.

Dona Lurdes olhou para o estranho capacete que o menino usava e exigiu saber:

— Posso saber o que é essa coisa na sua cabeça?

— É um capacete de futebol americano, professora — respondeu Plínio.

— Isso eu já sei. Quero saber porque está usando isso na minha aula.

— É pra ninguém me acertar outra bolada...

A turma inteira explodiu em risos. A professora voltou a grunhir, mandando que todos calassem a boca.

— Plínio, estou certa de que você pode retirar esse capacete durante a minha aula. Ninguém vai jogar bola aqui dentro.

— Mas e se chutarem uma bola de lá do pátio e ela me acertar?

— Isso não vai acontecer.

— Ah, mas sabia que as chances são de uma em dois milhões, trezentos e...

— Quer fazer o favor de tirar essa coisa da cabeça agora mesmo?!?

Os olhos de Paçoca se encheram d'água e ele começou a choramingar e a berrar, implorando para que pudesse ficar com o capacete. A professora se viu sem saída.

— Pare com isso, Plínio. Olha, tudo bem, fica com esse bendito capacete na cabeça. Eu não me importo...

O menino gênio engoliu o choro. Pastilha olhou para ele e achou graça ao notar que fora tudo teatro. Seu amigo era bom em se fazer de vítima quando queria.

A aula teve início e, em poucos minutos, já estava monótona, beirando o insuportável. Volta e meia algum aluno soltava uma risadinha ao olhar para aquele capacete enorme na cabeça do menino inventor, mas sempre que isso acontecia dona Lurdes se voltava para a turma e ordenava "SILÊNCIO".

Mais para o final da aula, a professora Lurdes resolveu fazer uma pergunta sobre a matéria do dia: os movimentos da Terra e as estações do ano. Sua vítima favorita estava do jeitinho que ela queria: tirando um belo cochilo durante a explicação.

— Roberto! Responda rápido: qual é a diferença entre rotação e translação?

Pimenta levou um susto tão grande que quase caiu da cadeira. A turma toda riu.

Beto encarou a professora com um ar aflito. Ele vivia se obrigando a prestar atenção nas aulas da dona Lurdes, mas, algumas vezes, isso era uma tarefa quase impossível. Pimenta já sabia o que viria a seguir. Afinal, aquela não era a primeira e nem seria a última vez em que seria humilhado diante da turma por aquele demônio em forma de mulher.

— Estou esperando a resposta, Roberto. Diga lá: qual é a diferença entre rotação e translação?

— Eu... Ãh... Bem... T-tem algo a ver com a Terra, não?

— Como é possível que você não saiba responder? Eu acabei de explicar isso.

Pimenta olhava para Paçoca, que sacudia o braço para o alto, desesperado para responder à questão. Mas é claro que dona Lurdes nunca perguntava nada a ele; isso não seria divertido. Divertido era fazer perguntas para quem ela sabia que não estava prestando atenção na aula. E se essa pessoa fosse Beto, a quem ela já reprovara duas vezes, a coisa se tornava ainda mais saborosa. A professora mal conseguia disfarçar o prazer que sentia em humilhá-lo diante dos colegas de turma. Seu sorriso velho e amarelado mal cabia em sua boca nessas horas.

— Estão vendo o que acontece com quem não presta atenção nas minhas aulas? Passa vexame igual o colega de vocês está passando agora...

— Mas e-eu sei a reposta! Eu só n-não tô me lembrando... Tem a ver com a Terra girando, não tem? Tá na ponta da língua, fessora... Ajuda aí!

— Eu falei sobre isso tem uns quinze minutos e você já se esqueceu, não foi? Muito bem, se você não me responder corretamente eu vou tirar meio ponto da sua média por ficar dormindo na minha aula — ao dizer isto, dona Lurdes apanhou uma caneta vermelha e o seu caderno de anotações. — Será que isso te ajuda a lembrar a resposta?

Um silêncio sepulcral tomou conta da turma. Pastilha e Paçoca, sentados lá na frente, olhavam para o amigo com uma expressão solidária, como se quisessem ajudá-lo. O menino inventor fazia gestos com as mãos: uma hora ele rodopiava o punho; em seguida girava um punho ao redor do outro, mantendo um deles parado. Pimenta não fazia ideia do que ele queria dizer com aquela mímica.

— E-eu... Eu não sei a resposta, fessora. Foi mal.

Dona Lurdes sorriu de maneira diabólica e fez uma breve anotação em seu caderno. A tinta vermelha da caneta parecia escorrer do papel feito sangue.

— Sabe, Roberto — disse a professora, com um desagradável ar superior. — O seu tio pode até lhe dar uma bolsa para você estudar nessa escola, mas os seus pais esqueceram de lhe dar o mais importante: um cérebro que funcionasse. Sem isso, você só está perdendo o seu tempo, e também o meu, dentro dessa sala de aula.

Alguns poucos colegas de turma achavam graça do comentário da professora, mas a grande maioria permaneceu em silêncio, achando que ela pegara pesado demais com Pimenta, que não tinha nada a dizer em sua defesa.

Juliana estava furiosa agora. Seu amigo errara ao cochilar durante a aula, mas isso não dava direito à professora de humilhá-lo na frente de todos.

— Que tal se eu fizer a mesma pergunta a alguém que estava prestando atenção na minha explicação? Quem quer responder?

Paçoca levantou o braço, mas Pastilha o puxou com toda a força de volta para baixo, irritada. O menino a encarou com um olhar surpreso, sem entender o porquê daquilo. Ninguém mais da turma ergueu a mão.

— Ora, vamos lá, crianças. Eu fiz uma pergunta, se ninguém se oferecer para respondê-la eu vou ter que escolher alguém! É isso o que vocês querem, é?

Silêncio. A professora fez uma cara (ainda mais) feia e engoliu em seco.

— Muito bem. Plínio, responda você à questão: qual é a diferença entre rotação e translação?

A professora voltou-se para Paçoca, assim como toda a turma. O menino fez que ia responder, mas sentiu uma pressão horrível no braço. Era Pastilha, que lhe dava um tremendo apertão com os dedos. Por alguma razão, que ele não conseguia compreender, ela não queria que ele respondesse à pergunta.

— Anda, menino. Responda à minha pergunta!

Antes que Paçoca pudesse dizer algo, Pastilha se adiantou, ficando de pé:

— Rotação é o movimento da Terra em torno do próprio eixo, o que dura um dia. Translação é o movimento da Terra ao redor do Sol, o que leva um ano. Mas será que agora eu posso lhe perguntar uma coisa, professora?

Dona Lurdes gostou de ouvir a resposta, mas não gostou do tom desafiador da menina. Conhecendo o histórico da aluna, preparou-se para o pior.

— Mas é claro que pode, Juliana.

— Qual é a diferença entre um bom professor e um mau professor?

Um burburinho de espanto se fez ouvir na turma, junto com algumas risadinhas contidas. Dona Lurdes ficou vermelha, azul, roxa, cor de abóbora, púrpura... As veias de seu pescoço pareciam prestes a explodir a qualquer instante.

— Menina insolente! Quer ir para a diretoria, quer?!?

— Só se formos as duas juntas para eu poder denunciá-la por praticar *bullying* em sala de aula. O que a senhora falou pro Beto foi horrível! Pede desculpa, agora!

— Eu, pedir desculpas? É ele quem me deve desculpas por dormir na minha aula!

— Ele errou, mas isso não lhe dá o direito de humilhá-lo!

— Durante a minha aula, eu faço as regras, mocinha...

— Muito bem! Vamos discuti-las juntas lá com o diretor. Ele vai adorar ouvir a minha versão dos fatos.

Dona Lurdes engoliu em seco, sentindo-se acuada pela aluna. Juliana sentia a cabeça latejar de tão nervosa que estava, mas sabia que não dava mais para recuar. As duas se entreolhavam, uma aguardando o próximo movimento da outra, como se ambas fossem praticantes de alguma luta marcial e estivessem se enfrentando na grande final mundial.

Foi então que o relógio do recreio tocou. E, com ele, veio o som de livros sendo fechados, estojos sendo guardados e mochilas sendo abertas. Visivelmente nervosa, a professora dispensou a todos e saiu apressada da sala de aula. Estava louca para chegar logo até a sala dos professores, onde tomaria sua bebida favorita: um café sem açúcar muito, mas muito forte.

Pastilha respirou fundo e desabou sobre sua cadeira. Fechou os olhos o máximo que pôde e levou as mãos ao rosto, torcendo para que aquilo fizesse a enxaqueca passar. Ao reabri-los, deu de cara com Pimenta, que olhava para ela com um largo sorriso no rosto.

— Obrigado por me defender, Ju. Você foi incrível!

A menina sorriu de volta. A enxaqueca fora embora.

Capítulo 6
Suspensão

Todos os alunos do quinto ano deixaram a sala de aula às pressas, desesperados para tirar o máximo proveito do intervalo. Todos, exceto os integrantes da Página Pirata, que foram conversar com Paçoca e tentar entender o que ele estava fazendo com aquele capacete de futebol americano enfiado na cabeça.

— Paçoca, eu não acredito que os seus pais deixaram você vir assim pra escola — falou Pastilha. — Não acha isso um pouco de exagero?

— Exagero? Olha só o tamanho do exagero, olha!

O menino levantou o capacete e mostrou o enorme roxo que havia ao redor de seus olhos. Era uma visão tão pavorosa que, por muito pouco, não tirou o apetite dos demais.

— Caramba! Eu não sabia que o olho de uma pessoa conseguia ficar tão roxo assim... — falou Piolho, achando aquilo um barato. — Tá doendo?

— Só quando eu respiro.

— Ah, mas é só você tomar cuidado pra não respi... Hum. Ah, tá, esquece.

— É claro que tá doendo, Piolho!!! Eu nunca senti tanta dor na minha vida!

— Tudo culpa daquele idiota do Mário — lamentou Peteca. — Onde já se viu chutar a bola na cara de outra pessoa com tanta força?

— Ah, mas tem explicação pra ele ser assim, né?

Todos se voltaram para Princesa, que lhes aguçara a curiosidade.

— Vocês não sabem de onde vem toda essa rebeldia dele? Essa coisa dele achar que pode tudo? De se achar o maioral?

— Ai, conta logo que babado é esse, amiga! — implorou Peteca.

Princesa ajeitou os cabelos louros. Uma boa fofoca pedia um retoque no visual.

— Então, o mala do Mário é filho do tal Murilo Moltoricco, um mega empresário do ramo de transportes. Nunca ouviram falar desse cara? Ele é, tipo, um zilhão de vezes mais rico do que o meu pai.

— Ei, eu já li sobre ele nos jornais, sim. Não sabia que o Mário era filho dele. Dizem que é uma cobra...

— Ô, se é, Pastilha. Meu pai me conta horrores desse cara, diz que ele tem uma porção de inimigos. E já me alertou pra tomar cuidado com o filho dele também. Não parece, mas o Mário é cheio da grana. Até seria um bom partido se não fosse tão feio e idiota. Aí fica difícil, né?

— É melhor namorar um cara pobre, mas gente boa, né não, Princesa?

A jovem olhou para Beto de cima a baixo, com cara de nojo. O rapaz olhava para ela todo animado, sem disfarçar um olhar apaixonado.

— Não, não é, Pimenta. Antes disso eu iria preferir namorar um orangotango. Depois um chimpanzé. E um esquilo. Aí, sim, eu talvez pudesse começar a pensar na possibilidade de namorar um pobretão...

Beto encolheu os ombros e fechou a cara.

— O papo tá bom, mas eu tô morrendo de fome. Bora descer pro recreio, galera! — sugeriu Piolho.

— Eu não vou descer — informou Paçoca. — Vou lanchar aqui na sala mesmo. Divirtam-se!

— Como assim, não vai descer? Ficou doido?

— Não quero correr nenhum risco, Ju. Vou ficar aqui, bem quieto, no meu canto.

— Ah, mas não vai mesmo — protestou Pinguim. — Você vai descer com a gente e agir como se nada tivesse acontecido. Você não quer dar esse gostinho de vitória ao Mário, quer?

— Se isso deixar ele bem longe de mim, eu quero sim.

— Nem pense nisso, Paçoca. Vem, vamos pro recreio.

— Não! Me larga! Me põe no chão!

Os garotos agarraram o amigo gordinho pelos braços e pernas e o carregaram – com muita dificuldade – até o pátio. É lógico que, ao chegarem lá, o estranho adereço usado por Paçoca chamou a atenção de todo mundo, mas aquilo não importava para o menino: tudo o que ele queria era ter a garantia de que não sofreria uma nova pancada na cabeça.

Bastante aborrecido com os amigos, Paçoca foi se sentar isolado para poder comer sossegado. Abriu a lancheira e salivou ao ver tudo o que sua mãe havia preparado para ele: um enorme sanduíche de presunto com pasta de ovo e queijo, um pacote de biscoitos recheados sabor limão, cinco bombons, refresco de laranja e um achocolatado. Plínio resolveu começar pelo sanduíche, mas ao levá-lo até a boca, se deu conta de um problema: o capacete de futebol americano tinha uma grade na frente que não lhe deixava comer. Teria de retirá-lo!

O pequeno inventor se sentiu estúpido. Como ele não antecipara aquilo?

Olhou em volta e viu que seus amigos estavam espalhados pelo pátio, aproveitando a hora do recreio. Até mesmo Pastilha estava longe, pois fora comprar seu lanche na cantina. Notou também que a professora Lurdes havia parado para conversar com a professora de História, não muito longe de onde ele estava. Foi quando ele percebeu que Mário, Meleca e Soneca estavam parados bem diante dele.

Paçoca levou um baita susto ao ver o trio de valentões. De onde teriam saído? O que queriam com ele agora?

— Ora, ora... se não é o nosso amiguinho rolha de poço... — falou Mário, com sua voz irritante, sentando no banco bem ao lado do menino.

— Gostei desse capacete. É a nova moda entre os idiotas? — provocou Meleca, arrancando risadas de Soneca, que muitos na escola afirmavam jamais terem ouvido pronunciar uma só palavra.

— E eu gostei foi desse seu sanduíche, hein? Tá com uma cara bem boa... — Mário cheirou o lanche com tanta força que quase o arrancou das mãos de Paçoca, feito um aspirador.

— Você ainda não sacou o dilema do gorducho, Mário? Usando esse capacete aí ele não consegue comer o lanche... Ele precisa escolher entre o sanduíche e a segurança dele.

— Puxa, é verdade, Meleca. O que será que ele vai escolher?

— Bom, com as duas coisas ele não pode ficar, certo?

— Ah, não pode mesmo. Vai ter que escolher.

— E aí, filhote de baleia? O que é que você vai escolher? O lanche ou a sua segurança? Hein?

Meleca deu vários soquinhos no capacete de Paçoca, fazendo o menino tremer de medo e choramingar. O pequeno inventor não queria apanhar, mas seu estômago já começava a protestar só de saber que estava prestes a ficar sem o seu lanche.

— Anda logo, balão! Me dá esse sanduíche aqui, e nada de gritar, ouviu bem? — Disse Mário, olhando para os lados para ter certeza de que ninguém via o que estava acontecendo ali.

Paçoca entregou seu sanduíche ao valentão com a mesma dor que uma mãe entrega o filho a um sequestrador. O resto do lanche foi rapidamente confiscado de sua lancheira por Meleca e Soneca, que trataram de enfiar tudo dentro de seus bolsos. O trio se levantou para ir embora, mas antes de sumir dali, Mário girou o capacete sobre a cabeça do menino, fazendo com que a parte de trás fosse para a frente e vice-versa. Resultado: Paçoca não conseguia enxergar nada!

O garoto se colocou de pé e começou a tatear, sem fazer ideia do que havia à sua frente. Então tropeçou e caiu no meio do pátio, a banha estalando no chão, fazendo um barulho engraçado que arrancou muitas gargalhadas de quem estava por perto. Alguém o ajudou a se levantar e arrancou o capacete de sua cabeça. Ao olhar para cima viu Pimenta, seu amigo mais querido. Ele o abraçou, agradecido.

— Quem fez isso com você? Foi o Mário?

O menino fez que sim. Se dissesse qualquer coisa, começaria a chorar.

— Ele roubou o seu lanche, não roubou?

Paçoca balançou a cabeça para cima e para baixo de novo, os olhos cheios d'água.

Pimenta olhou para o trio de delinquentes que devorava o lanche de seu amigo já bem longe dali. O sangue que lhe corria nas veias ferveu. Ele caminhou a passos largos pelo pátio ao encontro de Mário. Ao chegar lá, disparou:

— Você roubou o sanduíche do Paçoca. Devolve!

— Eu roubei? Ficou doido, foi? Vê se eu preciso roubar pra ter o que eu quero... Esse sanduíche é meu!

— Anda, devolve logo, ou eu faço essa sua cara ficar ainda mais feia do que ela já é.

Soneca achou graça. Foi imediatamente repreendido por Mário e Meleca, de modo que tratou de fechar a cara.

— Você quer o sanduíche, Pimentinha? Então pega.

Mário atirou o lanche no chão, aos pés do rival.

As cenas seguintes aconteceram tão rápido que a maioria dos que estavam ali sequer foi capaz de entender exatamente o que houve. Quando tudo voltou a fazer algum sentido o inspetor já havia apartado a briga entre os dois rapazes com a ajuda de mais um bando de alunos. Mário e Pimenta trocavam acusações e xingamentos. Até o diretor Roger foi chamado para ajudar. Os membros da Página Pirata haviam se reunido ao redor da confusão para dar apoio ao amigo desenhista, mesmo sem terem qualquer prova em sua defesa além do testemunho de Paçoca, que acusava Mário e seus capangas de terem roubado o seu lanche; crime ao qual eles negavam veementemente. A coisa se complicou quando dona Lurdes, para surpresa geral, se lançou em defesa dos valentões, afirmando ser testemunha do momento em que Pimenta começou a agredir o outro rapaz sem nenhuma razão, enquanto este lanchava calmamente com seus amigos. Aquilo deixou a turma da Página Pirata de queixo caído e a gangue do Mário com um sorriso de orelha à orelha.

Uma comitiva formada pelo diretor, pelo inspetor, pelas professoras de Geografia e de História, além de Pimenta, Paçoca, Mário, Meleca e Soneca rumou para a diretoria. Os alunos foram orientados a seguir para suas salas de aula, já que o recreio havia terminado.

Após a aula, Peteca, Princesa, Pinguim, Piolho e Pastilha foram direto até a secretaria tentar descobrir o que teria acontecido. Ao chegarem lá se depararam com um Paçoca cabisbaixo sentado do lado de fora, ainda com a cabeça enfiada em seu capacete de futebol americano.

— O que aconteceu? Por que você está aqui fora? — quis saber Pastilha.

— E-eu tentei, pessoal... Snif! Eu ju-juro que tentei! Chuif... Eu falei to-toda a verdade! Snif...

— Do que é que você tá falando? — perguntou Peteca, aflita.

— É o Pimenta... Chuif! Eu a-acho que ele vai pe-pegar uma sus-suspensão. Snif!

— Suspensão? Mas... mas... isso não pode ser!

— Eu sei, Piolho. Chuif! A culpa é toda da professora Lurdes, que re-resolveu se meter e afirmou com to-todas as letras que viu o nosso amigo atacar o Mário sem nenhuma razão, só pra procurar briga. Snif!

— Aquela cobra da Lurdes! Tudo bem ela não ir com a cara do Pimenta, mas isso já é demais! — reclamou Pinguim, transtornado.

A porta do escritório se abriu. De dentro da sala saiu um Pimenta cabisbaixo seguido por um Mário triunfante. Então vieram Meleca, Soneca, a professora Lurdes, a professora de História e o diretor Roger.

Juliana quis falar com Beto, mas este se limitou a dizer que aquela não era a melhor hora para conversarem. Ela fez apenas uma breve pergunta:

— Quanto tempo de suspensão?

— Três dias.

— Três dias?!? — espantou-se Piolho. — E quantos dias pegou o Mário?

— Nenhum. O safado saiu de santinho nessa...

Paçoca desandou a chorar, se sentindo terrivelmente culpado.

Ninguém disse mais nada, pois todos da turma sabiam perfeitamente bem o que a ausência de Pimenta da escola significaria para eles.

— Três dias de absoluto terror — sentenciou Piolho, finalmente.

Capítulo 7

A Maratona de Bullying

Três dias de absoluto terror. As palavras ditas por Piolho naquele dia não poderiam ter sido mais verdadeiras. Já na manhã seguinte à suspensão de Pimenta, Mário, Meleca e Soneca decidiram infernizar ainda mais a vida dos integrantes da Página Pirata, aproveitando a ausência de seu membro mais forte. Mário sabia muito bem que Pimenta era o único em todo o colégio corajoso o bastante para enfrentá-lo, de modo que o caminho ficou livre para ele e seu bando agirem.

A gangue do Mário soube como fazer daqueles três dias os mais divertidos de suas vidas. Agindo sempre às escondidas para que nenhum adulto percebesse o que estavam fazendo – ou seja, nada de testemunhas –, o trio de delinquentes aprontou tanto dentro da escola quanto fora dela.

Desde o começo, os valentões entenderam que xingar Paçoca de gordo, comer seu lanche e roubar seu dinheiro seria muito pouco diante daquela oportunidade única. Sendo assim, planejaram meticulosamente a tortura certa para cada um de seus desafetos da turma rival.

Os relatos desses três dias de horror serão a seguir resumidos de modo a poupar os espíritos de nossos jovens leitores.

Por diversas vezes, Mário e seus capangas avistaram Pastilha andando pelo pátio distraída, devorando algum livro que pegara na biblioteca. Ao abordá-la, ora tratavam de lhe puxar os cabelos, ora colocavam o pé na frente dela para que caísse no chão. Mas o que achavam mais divertido era surrupiar e esconder seus óculos para que ela ficasse vagando pela escola, completamente cega. A menina denunciou o comportamento desses moleques seguidas vezes junto ao inspetor e ao diretor, mas sem ter maiores evidências além de sua própria palavra, tudo o que conseguiu com isso foi fazer com que Mário, Meleca e Soneca fossem chamados à coordenação algumas vezes, o que só serviu para deixá-los com mais raiva dela ainda.

Com Pinguim e Piolho os valentões fizeram coisa bem pior: passaram esses três dias seguindo os irmãos pelas ruas de Vale Prateado para, no meio do trajeto até a casa deles, os agarrarem à força e atirá-los em lixeiras fedorentas. Ao saírem de dentro dos latões, os garotos descobriam suas mochilas penduradas em árvores ou em postes de energia, com todo o material escolar deles espalhado pela calçada.

As únicas que escaparam dos abusos do trio foram Princesa e Peteca. A popularidade de ambas fazia com que todos na escola sempre prestassem muita atenção a tudo o que faziam, de modo que era difícil aprontar com elas sem que alguém percebesse. Além disso, Princesa voltava para casa de limusine todos os dias, dando carona para sua melhor amiga. Mário e seus colegas sentiam tanta raiva por não conseguirem fazer nada com aquelas duas metidas que aproveitavam para descontar nos demais.

Vocês devem estar pensando que o relato de crueldades termina aqui.

Só que não.

É claro que a vítima predileta do bando continuou sendo Paçoca. Durante toda a suspensão de seu amigo Pimenta, o menino não podia dar um passo pela escola sem que algum membro da gangue do Mário cruzasse seu caminho. Quando isso acontecia ele já começava a choramingar, ciente de que o pior estaria por vir. Olhava para os lados, desesperado, mas nesses momentos nunca havia ninguém por perto! Ele, Pastilha, Piolho e Pinguim haviam combinado de andarem sempre juntos, mas os valentões sabiam ser pacientes na arte da tocaia: conseguiam achar o momento exato em que algum deles estava sozinho, fosse numa rápida ida ao banheiro, fosse numa volta para casa, fosse no vestiário após a aula de educação física, ou até na biblioteca estudando para uma prova.

Infelizmente, é assim que agem os covardes.

Capítulo 8

Uma Aula Chocante

Os dias sem a presença de Pimenta no colégio fizeram com que a turma da Página Pirata passasse a odiar a hora do recreio e a adorar todas as aulas, quando se sentiam mais seguros, já que Mário e seus capangas estudavam em outro prédio.

Foi apenas no terceiro dia de suspensão, antes do início de uma aula de Ciências no laboratório do colégio, que Paçoca finalmente criou coragem para conversar de maneira mais incisiva sobre o assunto com Pastilha.

— Eu não aguento mais, Ju! — reclamou o pequeno inventor. — Hoje o Mário nem esperou dar a hora do recreio pra roubar o meu lanche! E ainda puxou a minha cueca aqui por trás da minha calça. Está doendo à beça...

— Eu também já estou farta dessas palhaçadas, e mais farta ainda com a indiferença do diretor! Você acredita que ontem eu fui lá na secretaria pra reclamar pela milésima vez do Mário e o diretor me disse que era pra eu parar com aquilo, que eu já estava era de perseguição com o moleque em represália à suspensão do Pimenta?

— Sério?!? Que absurdo! E o que você disse?

— Eu ri na cara do diretor, né? Ele ficou uma fera, disse que se eu não parasse com aquilo ia chamar a minha mãe aqui... Daí eu falei pra ele que era pra chamar a minha mãe mesmo, que ela andava louca pra ter uma conversa com ele e com os pais do Mário. Sabe o que ele fez? Me mandou sair da sala e ir pensar no que eu andava fazendo!

— Não acredito! Mas vem cá, Ju, você não contou pra sua mãe o que anda acontecendo aqui na escola, contou? Eu não tenho coragem de comentar nada lá em casa... Minha mãe já ficou louca da vida com a bolada que levei no rosto. Imagina se soubesse de tudo! Tenho até medo do que pode acontecer...

— Ah, eu também não comentei quase nada, né? Só por alto... Eu até acho que devia abrir o jogo com a mamãe. Mas sei lá, tenho medo da reação dela. Imagina se ela vem aqui na escola dar um ataque e isso não resolve nada? Depois vai sobrar pra mim ter que aguentar o que o Mário vai fazer comigo...

— Pois é! É disso que eu tenho medo também. Além do mais, hoje é o último dia de suspensão do Pimenta. Aí teremos o final de semana pra descansar e na segunda-feira ele volta. Aí o Mário vai ter que reaprender a andar na linha.

— É o que eu espero, Paçoca...

O professor Pedro chegou ao laboratório e, após dar um caloroso "bom dia" à turma, deu início à aula. O tema era eletricidade e o professor contava com um ajudante, um funcionário novo do laboratório que os jovens não conheciam. Piolho achou o bigode espetado do sujeito engraçadíssimo, comentando com os amigos que o novo funcionário parecia até ter engolido um pássaro preto gigante e deixado o rabo do lado de fora da boca.

— Quem aqui já levou um choque na vida? — quis saber o professor lá para o meio da aula.

A turma inteira levantou a mão. Todos deram muitas risadas.

— Alguém sabe me explicar porque é que a gente leva um choque se colocar o dedo molhado na tomada?

Paçoca ergueu o braço para o alto, desesperado para responder. Só que Pedro queria que algum outro aluno participasse, então passou os olhos pela turma e chamou Piolho pelo nome. O menino quase teve um treco, não fazia ideia do que responder.

— E então, Zeca? Por que você acha que a gente toma choque se colocar o dedo molhado na tomada?

— P-por causa da... eletricidade?

— Sim, mas por que a gente sente o choque?

— Porque... ela é q-que nem um... raio?

A turma inteira começou a rir diante de tanto chute na trave.

— Professor, o meu irmão não sabe responder a essa pergunta porque ele nunca se molhou na vida — brincou Pinguim, arrancando ainda mais risadas dos colegas. — Essa essência de ovo podre que o corpo dele exala não é à toa....

— Em compensação, você vive molhado, né? Todo nojento, melecado de suor... Deve levar choque até apertando botão de elevador!

O professor precisou intervir antes que os irmãos saíssem no tapa.

— Ei, vocês dois, nada de brigar! — ralhou Pedro, num tom sério. — Zeca, quando a nossa pele está molhada e entra em contato com a eletricidade, uma corrente elétrica percorre o nosso corpo, e é por isso que sentimos o choque, já que os nossos órgãos internos são bons condutores de eletricidade devido à água e aos sais que existem no nosso organismo.

— Mas isso só acontece quando a nossa pele tá molhada? — perguntou Peteca, curiosa.

— Na verdade, não, Viviane. Mas sabe o que é engraçado? A nossa pele, quando está seca, é má condutora, ou seja, ela é mais resistente ao impacto de uma corrente elétrica. É claro que estamos falando de um cenário no qual a intensidade da corrente não é muito forte. Porque se for, aí a gente pode tomar um choque bem violento, mesmo estando secos. É por isso que nunca devemos encostar em fios desencapados, nem mexer em objetos que estejam conduzindo eletricidade sem a proteção de algum tipo de material isolante, como luvas e calçados de borracha.

— Ou seja, um raio caindo do céu vai fazer um belo estrago em mim estando eu seco ou molhado, certo? — perguntou Piolho.

— Ah, isso com certeza! — riu o professor. — A descarga de um raio pode ser até cem mil vezes mais forte do que um choque proporcionado por um chuveiro elétrico. Sabiam que a chance de sobrevivência de alguém que é atingido por um raio é de apenas dois por cento?

Os alunos arregalaram os olhos e soltaram um "oooooh..."

— Pois é! Mas vamos lá, turma, que tal a gente ver na prática alguns dos conceitos que foram vistos na aula de hoje? — falou Pedro, que chamou o ajudante bigodudo para vir ajudá-lo com o experimento. Os dois puxaram um pano que cobria um curioso equipamento formado por uma grande bola metálica equilibrada sobre uma coluna.

— Este é um gerador de Van de Graaff — explicou o professor. — Eu vou utilizá-lo para eletrizar um voluntário da turma. Quem se habilita?

Os jovens fizeram cara de assustados. Ninguém se ofereceu, com exceção de Paçoca, que erguia a mão o mais alto que conseguia. O aparelho era um velho conhecido do pequeno cientista.

— Não se preocupem, pessoal, esse experimento é de arrepiar os cabelos, mas é completamente seguro! Vamos lá, eu preciso de uma menina com cabelos compridos pra me ajudar com a demonstração. Que tal você, Juliana? Gostaria de ser eletrizada com milhares de volts?

Pastilha arregalou os olhos, apreensiva. Disse que não estava se sentindo muito bem; o professor insistiu com um sorriso divertido no rosto. Por fim, ela concordou em ajudar.

— Você deve primeiro subir nessa plataforma, Ju. Ela é de borracha para deixá-la eletricamente isolada. Não queremos que você leve um choque, né?

A turma toda achou graça, menos Pastilha. Ela obedeceu ao professor e subiu na plataforma.

— Agora coloque as mãos na bola de metal. Não tenha medo, o gerador de Van de Graaff está desligado. Você só vai precisar se preocupar quando eu mandar o meu amigo aqui ligar a máquina...

Nervosa, Juliana torceu para não ter uma de suas famosas crises de asma na frente de toda a turma. Respirou fundo e buscou se controlar. Com cautela, pôs as mãos sobre a superfície metálica. Estava gelada. Pedro deu sinal para que o ajudante ligasse o aparelho. Foi o que ele fez. A coisa começou a fazer um barulho estranho. Ninguém ousava dar um pio no laboratório.

Dali a pouco algo muito engraçado aconteceu. Os cabelos ruivos de Pastilha começaram a se arrepiar, levantando muito acima de sua cabeça e rumando para todas as direções. Os alunos morriam de dar risada com a cena, sem entender o que estaria acontecendo ali. O professor explicou, fazendo o seguinte desenho na lousa:

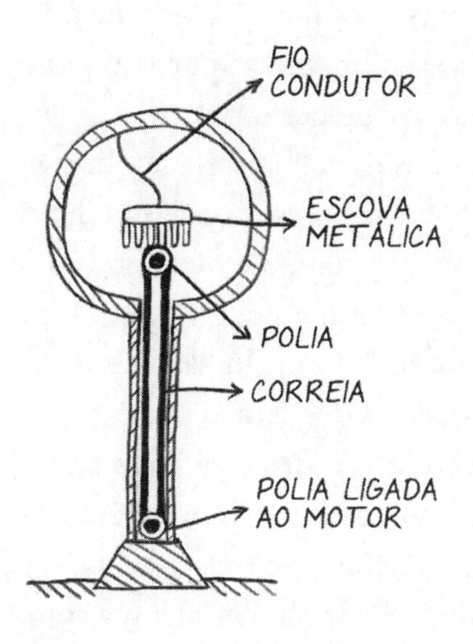

— O gerador de Van de Graaff é formado por uma esfera metálica oca, uma coluna também oca e uma base. Dentro da coluna existe uma correia eletricamente neutra, ou seja, que não tem carga positiva, nem negativa. Essa correia começa a girar quando ligamos um motor. Dentro da bola há uma escovinha metálica – também neutra – que entra em atrito com a correia. Isso faz com que a correia perca elétrons para a escovinha, deixando-a com carga negativa. Vejam no meu desenho que a escova está ligada à esfera por um fio condutor, de modo que ela também fica negativa. À medida que essa grande bola de metal vai ficando carregada negativamente, o excesso de carga vai passando para a Juliana, só que como ela está isolada por causa da plataforma de borracha, ela não leva choque, mas fica com o corpo eletrizado.

— Mas por que é que o cabelo dela tá arrepiado desse jeito? Tá parecendo até um porco-espinho! — quis saber Piolho, que chorava de tanto rir.

— É que os fios de cabelo dela também estão ficando negativos — respondeu Paçoca, para orgulho de seu professor. — A gente já estudou em sala que cargas diferentes, ou seja, positivas e negativas, se atraem, e cargas iguais se repelem. Como os fios de cabelo da Ju são muito finos e leves, eles querem se afastar uns dos outros por estarem todos com carga negativa! Aí o cabelo dela fica arrepiado desse jeito.

— Isso, garoto! Esse cara é um gênio — comemorou o professor Pedro, erguendo o braço do aluno para o alto como se ele tivesse acabado de ganhar alguma competição, deixando Paçoca todo encabulado.

— Ainda bem que o voluntário da experiência não foi você, mano — disse Pinguim a Piolho, com um sorriso maldoso. — Imagina só que cena horrível de se ver, os piolhos que vivem na sua cabeça morrendo eletrocutados... Que horror!

A turma inteira deu risada. De repente, um grito. Era Princesa.

— Ai, um rato! Tem um rato solto aqui!

— Aaaaai, subiu na minha perna! — berrou Peteca, pulando tão alto quanto o fazia em suas competições de ginástica artística.

Dali a pouco todos viram um ratinho branco correndo pelo chão do laboratório, para o completo horror das garotas da turma. Com Pastilha não foi diferente, só que ao tentar correr para longe a menina se esqueceu de que estava sobre uma plataforma e acabou levando o maior tombo, dando de cara no chão. Seu nariz mudou de cor, indo do vermelho alérgico ao roxo dolorido. A armação de seus óculos ficou toda torta. Ao erguer a cabeça viu que o ratinho, curioso, farejava seus cabelos, que já haviam perdido a carga negativa e voltado ao normal.

Juliana deu o maior grito de sua vida. Um grito tão forte que ela sentiu dor na garganta e começou a tossir logo depois. Foi preciso que o professor a erguesse do chão e a carregasse para fora do laboratório. Todo o resto da turma já saíra correndo de lá. Pedro chamou pelo assistente bigodudo, mas quem apareceu para ajudar foi um outro funcionário do laboratório, careca e gorducho. Os dois conseguiram encurralar e apanhar o tal rato. O funcionário reconheceu o roedor como sendo do próprio laboratório e sua suspeita apenas se confirmou ao ver que a gaiola na qual ele ficava preso estava aberta.

— Isso foi obra de algum desses moleques! — acusou o careca.

— Não foi ninguém dessa turma — disse Pedro, aborrecido. — Sei que estavam todos prestando atenção ao experimento.

Ao perceberem que o rato fora capturado, os meninos da turma retornaram ao laboratório para tentar entender o que teria acontecido. As garotas continuaram do lado de fora, se recusando a voltar. Ao ouvirem as explicações do professor e do funcionário, Pinguim, Paçoca e Piolho trocaram olhares desconfiados. Sempre muito observador, Pinguim logo notou a ausência de uma certa pessoa.

— Cadê aquele outro funcionário do laboratório? O de bigode?

— Funcionário de bigode? — estranhou o ajudante careca. — Aqui no laboratório da escola só trabalhamos eu e uma moça. Não tem ninguém de bigode aqui.

— Como assim? — estranhou o professor. — Um rapaz de bigode se apresentou a mim antes da aula, dizendo ser um funcionário novo do laboratório e que estava escalado para me ajudar na aula. Eu nem precisava, mas como achei que ele estava em treinamento, aceitei.

— Humm... Temos aqui um mistério a solucionar — falou Pinguim, muito sério. — Apresento a vocês a prova do crime, acabei de achar bem ali, jogado no chão.

O rapaz entregou ao professor um bigode postiço. Não havia qualquer dúvida de que se tratava do enorme bigode usado pelo falso funcionário.

— Isso é muito sério — disse Pedro, analisando o disfarce. — Eca, o que é essa coisa gosmenta aqui? Será que é cola?

Pinguim analisou o material que havia no verso do falso bigode.

— Não, isso não parece ser cola. Tenho quase certeza de que é meleca.

— Meleca? — Paçoca se espantou com aquela informação.

— Sim, meu amigo. E se meus instintos estiverem certos, acho que a gente vai conseguir eliminar pelo menos um de nossos desafetos muito em breve. Com um pouco de sorte, pegamos os três!

Piolho, Princesa, Peteca e Pinguim estavam escondidos atrás de uma pilastra. Observavam Mário, Meleca e Soneca de longe, durante o recreio. O trio dava muitas risadas, falando alto e incomodando quem estava por perto.

Pinguim cochichou instruções aos ouvidos das duas garotas. Elas fizeram cara feia, pensaram em ir embora, mas por fim foram convencidas pelos irmãos, que precisaram implorar para que elas os ajudassem com o plano. As duas amigas engoliram em seco e foram até o bando de delinquentes. Os três rapazes estranharam aquela aproximação.

— E aí, meninos — disse Princesa, colocando as mãos na cintura e balançando os cabelos louros. — Vocês ouviram falar da confusão que rolou hoje durante a aula do Pedroca?

Os garotos trocaram olhares surpresos. Era evidente que se esforçavam para não rir.

— Não soube de nada, não — disse Mário, com um sorriso sonso.

— Algum engraçadinho soltou um rato lá no laboratório — contou Peteca. — Você acredita que nenhum dos garotos da turma defendeu a gente? Saíram correndo de lá feito um bando de menininhas!

— É mesmo? Puxa, queria ter visto isso! — disse Meleca, que estava quase a ponto de explodir de tanto que queria rir. Soneca não dizia nada, só concordava com tudo, balançando a cabeça com uma expressão retardada no rosto.

— Pois é... Sabe, eu tenho certeza de que, se vocês três estivessem lá, a história teria sido muito diferente — disse Princesa, olhando dentro dos olhos de Mário. — Você não ia deixar aquele rato nojento chegar perto de mim, né? Você é tão forte. Tão corajoso!

O valentão sentiu o rosto corar e quase caiu da mesa na qual estava sentado. Mal podia acreditar no que a garota mais linda da escola estava lhe dizendo. Princesa então passou a mão em volta do braço dele e apertou seu bíceps. Ela sorriu.

— Nossa, nunca vi um braço mais forte que o seu. Tá malhando?

Mário começou a gaguejar. Meleca e Soneca também pareciam perdidos, sem saber como reagir diante daquela abordagem.

Princesa olhou para Peteca e piscou. Era a deixa.

— Er... E v-você Meleca? Também tá um g-gato hoje, viu? — Peteca teve vontade de vomitar ao dizer aquilo. Ela olhava para o rosto do rapaz e só conseguia ver aquele fio de meleca verde escorrendo do nariz dele. Uma coisa asquerosa que ia e voltava. Ia e voltava. Volta e meia a secreção virava uma bola esverdeada que se inflava e esvaziava feito um balão de oxigênio. O rapaz sequer respondeu ao elogio, parecendo estar paralisado de medo. Nunca antes uma garota falara com ele daquele jeito. Aliás, nenhuma garota jamais falara com ele. Ponto.

Princesa olhou novamente para Peteca e fez um sinal com a cabeça. A ginasta fez que não, mas a amiga insistiu.

Peteca olhou para Meleca tentando disfarçar o nojo e engoliu em seco. O que ela não era capaz de fazer por seus amigos!

— Eu p-posso tocar?

— Tocar? C-como assim? No quê?

— Nesse fio de meleca p-pendurado no seu nariz. Acho ele tão... atraente! Tão... s-sexy!

Princesa teve que se segurar para não rir da cara que Peteca fazia. Os olhos de Meleca brilhavam. Aquela fora a coisa mais bonita que alguém já lhe dissera na vida! Mário e Soneca acompanhavam a cena de queixo caído.

— V-você quer t-tocar na minha m-meleca?

— Se você não quiser, t-tudo bem...

— Não! Não! É claro que eu quero! Eu quero muito! Estou louco pra ver você tocar na minha meleca. Não sabia que você curtia essas c-coisas...

— Ah, mas eu sou louca por garotos que têm meleca escorrendo do nariz. Louca!

— Ei, eu tive uma ideia! — sugeriu Princesa, agindo conforme o plano. — Ao invés de tocar, que tal se você guardasse um pouquinho da meleca dele? Assim você poderia ter de recordação! Não seria o máximo?

— Que ótima ideia, amiga! — comemorou Peteca, que na verdade se sentia aliviada. — Será que você poderia me dar um pouco da sua meleca pra eu guardar?

— É sério isso, garota? Você quer guardar a meleca dele? — perguntou Mário, desconfiado.

— Ei, não se mete, cara! — irritou-se Meleca. — Se a Peteca quer um pouco da minha meleca, eu dou! E pode pedir quantas vezes quiser; o meu estoque é infinito, gata!

— Ai, bom saber...! — disse Peteca, arregalando os olhos.

Princesa ofereceu ao rapaz um copinho descartável. Meleca assoou o nariz no recipiente, que ganhou uma charmosa coloração esverdeada. Com um olhar apaixonado, ele entregou o copo à Peteca.

— Aqui, docinho. Mas vê se guarda com carinho, tá? É do fundo do meu coração.

— Ô, pode deixar! — disse a jovem atleta, pegando o recipiente com as pontinhas dos dedos.

— Aí, Princesa. Curti saber que tu se liga no meu bração — falou Mário, com um sorriso desagradável estampado no rosto. — A gatinha ganhou pontos comigo...

A jovem limitou-se a sorrir um sorriso amarelo para o valentão. As meninas se despediram e trataram de se afastar daquele bando o mais rápido possível. Ao encontrarem Pinguim e Piolho, entregaram o copo cheio de meleca pra eles.

— Ai, que nojo! Acho que vou vomitar! — gritou Peteca, fazendo careta e esfregando as mãos na calça.

— Meninos, vocês devem muito pra gente depois dessa! — cobrou Princesa, tentando fazer cara de séria. — Ainda não acredito que topei me sujeitar a isso. Mas que foi bem engraçado, ah, isso foi.

— E agora, mano? O que a gente faz com esse monte de meleca? — quis saber Piolho, olhando para o conteúdo do copinho.

— Agora a gente entrega isso aqui pro nosso amiguinho cientista. Acho que temos a prova de que precisávamos pra eliminar pelo menos um de nossos inimigos. A semana que vem promete!

Capítulo 9

A Prova do Crime

Na segunda-feira, assim que chegaram à escola, os membros da Página Pirata foram direto até a sala do diretor. Pimenta, já tendo cumprido seus dias de suspensão, estava com eles. O rapaz fora informado somente de parte das atrocidades cometidas por Mário e sua gangue durante os dias em que esteve ausente, e o que ouviu já fora o suficiente para querer torcer o pescoço dos rivais, coisa que ele só não fez porque seus amigos imploraram para que ele não se envolvesse e arrumasse ainda mais problemas para si.

Pastilha, à frente da pequena comitiva, entregou um envelope ao diretor Roger e pediu que ele analisasse o conteúdo. O homem não entendeu nada, mas obedeceu. Retirou um papel do envelope e o leu. Olhou para os jovens.

— O que é isso?

— É um laudo que comprova que o DNA da secreção nasal encontrada no bigode postiço achado na sexta-feira no laboratório bate com o DNA do Meleca, um dos capangas do Mário. Isso prova que foi ele quem enganou o professor Pedro e se fez passar por ajudante pra poder soltar o rato durante a aula. O senhor lembra a confusão que deu semana passada...

— Mas, Juliana... Um exame de DNA? Como é que vocês...?

— Meus pais têm em casa um laboratório com capacidade para realizar esse procedimento, diretor — disse Paçoca, todo orgulhoso. — O laudo é real. Mas ainda temos mais material guardado para análise, caso o senhor prefira refazer o teste em algum outro laboratório.

— Vocês coletaram a secreção nasal do rapaz e a analisaram?!?

— Sim, senhor diretor — respondeu Pastilha, aborrecida. — Será que por acaso nós não podíamos ter feito isso?

Será que os alunos não podem trabalhar para trazer a verdade à tona aqui nessa escola onde, nos últimos dias, só tem imperado a mentira e a hipocrisia?

— Veja como fala, menina! Não é isso o que...

— Ah, qual é, diretor! — irritou-se Piolho. — O Pimenta foi suspenso por três dias injustamente, só com base no depoimento da chata da professora Lurdes, que disse ter visto o que não aconteceu, sendo que todo mundo sabe que ela não vai com a cara dele. Aí a gente chega com uma baita prova da culpa do Meleca, que com certeza fez o que fez a mando do troglodita do Mário, e o senhor não vai fazer nada com eles? Assim não dá!

— Eu não disse que não vou fazer nada, Zeca... Eu pretendo averiguar e punir o culpado pelo incidente no laboratório. Devo isso ao professor Pedro e aos alunos. Só acho que vocês estão indo longe demais com essa rivalidade que surgiu entre os dois grupos. Não gosto de ver isso acontecendo na minha escola...

— Ah, o senhor não gosta, é? — desafiou Pastilha. — Pois eu lhe digo do que o senhor não gosta! A escola está sendo palco de *bullying* e o senhor está fingindo que nada demais está acontecendo!

O diretor olhou feio para a líder do grupo.

— É isso mesmo! — disse Pinguim. — E a coisa não vem acontecendo só com a gente! Pode perguntar pra qualquer aluno se o Mário e o bando dele não merecem ser expulsos daqui.

Roger olhou para aqueles jovens e se viu sem palavras. Havia certeza no olhar de cada um deles. E eram, em sua maioria, alunos brilhantes, conhecidos na escola e queridos por seus professores. Não havia razões para achar que estariam mentido. Além do mais, conhecia os garotos a quem aquelas acusações eram dirigidas. O diretor sabia perfeitamente bem que eram adolescentes problemáticos, com histórias de vida complicadas. Dera ao trio inúmeras chances para se redimirem, fizera vista grossa por diversas vezes. No caso de Mário, sendo ele filho de quem era, a coisa se tornava ainda mais delicada. Mas sentira que chegara a hora de rever essa postura e tomar uma atitude mais severa. Devia isso aos alunos que estavam à sua frente.

— Guardem esse exame e não falem com ninguém sobre o resultado do laudo. Vou chamar os pais desses rapazes para uma conversa muito séria e avisar que os três serão suspensos por uma semana. Acreditem, vocês não são os únicos de quem ouvi queixas sobre eles. Já ouvi reclamações de professores, funcionários, outros alunos... Já conversei com Mário e os outros dois diversas vezes, mas vejo que terei de tomar atitudes mais enérgicas com eles de agora em diante. Se tudo o mais falhar, não terei outra opção senão expulsá-los de minha escola.

Os membros da Página Pirata comemoraram a decisão do diretor, menos Pastilha e Paçoca. Justamente os que mais sofriam nas mãos da gangue do Mário.

— Expulsão? — disse Juliana, engolindo em seco. — Isso não seria muito... extremo?

— Como eu disse, esse será o meu último recurso. Foram pouquíssimos os casos de expulsão nessa escola até hoje... Mas, às vezes, é o único jeito. Existem alguns jovens que são simplesmente incorrigíveis.

— Vocês não vão ficar defendendo aqueles três agora, vão? — quis saber Pinguim, aborrecido. — Não depois de tudo o que eles fizeram a gente passar!

— Eu sei... Só não desejo o mal a ninguém — lamentou Paçoca.

— Ai, me poupe, garoto! — disparou Princesa, irritadíssima. — Não é a toa que te sacaneiam! Você é bonzinho demais...

— Não sou nada!

— Claro que é! Se alguém te dá um cascudo na cabeça você só sabe ficar chorando. Tem que aprender a se defender também! Bate de volta!

— Mas é que...

— Mas é que nada! Enquanto você ficar só se fazendo de vítima, sempre vai ter um querendo te zoar. Hoje é o Mário, amanhã vai ser outro! Ou por acaso é só ele que chama você de gordo aqui na escola?

— Princesa, quer parar com isso?!? — interveio Pastilha. — O que deu em você pra falar assim com ele?

— O que deu em mim? Tô só ensinando ele a viver, minha cara! A vida é assim: sempre vai ter alguém querendo pisar na gente. Se a gente não souber se defender a coisa só piora. E piora, e piora, e piora, e piora...

Paçoca deu um encontrão em Princesa e saiu pela porta da secretaria sem dizer nada. Pimenta viu que o amigo estava chorando e o seguiu. Os demais se despediram do diretor e foram atrás deles.

— Achei que você pegou muito pesado com ele, amiga — disse Peteca.

— Eu só falei o que o gordinho precisava ouvir. Melhor escutar de mim do que de alguém que não gosta dele!

— Poxa, se isso é gostar... — comentou Piolho, recebendo de volta um olhar mortífero de Princesa.

Capítulo 10

Fichas Caindo

O dia seguinte foi um dos dias mais estranhos que Pastilha já viveu na escola. Havia um clima de tensão no ar. Isso não se devia ao atrito ocorrido na véspera entre Paçoca e Princesa, fato que fora superado com um simples pedido de desculpas. Um pedido bem difícil de se conseguir, é verdade, mas, no fim, a jovem milionária acabou cedendo à pressão de Pastilha e Peteca e reconheceu que fora muito rude com o colega.

O clima pesado na escola se devia à outra coisa. Se devia aos eventos ocorridos naquela mesma manhã, quando os pais de Mário, Meleca e Soneca foram chamados à coordenação. O que deveria ser apenas uma conversa severa sobre o comportamento problemático de seus filhos resultara num grande problema: o pai de Mário, o famoso empresário Murilo Moltoricco, quis agredir o diretor ao ouvir a punição de seu filho diante das inúmeras reclamações contra ele e os amigos na escola: suspensão até o final daquela semana.

Alunos de todo o colégio estavam em sala de aula quando ouviram gritos furiosos vindos do pátio central. Estudantes e professores interromperam o que estavam fazendo e foram até as janelas para tentar entender o que estaria acontecendo. A cena que testemunharam chocou a todos.

Moltoricco estava sendo literalmente posto para fora do colégio à força por funcionários e professores, enquanto gritava a plenos pulmões que processaria a escola por estar sendo tratado daquela forma. Sua esposa dava sinais de estar morrendo de vergonha diante do descontrole do marido e se dirigia para fora da escola de mãos dadas com o filho sem dar um pio sequer. Os pais de Meleca e Soneca seguiam logo atrás, mostrando-se claramente revoltados com a punição dos filhos, mas pouco dispostos a criar caso.

— Esse diretor covarde tinha que vir aqui pra fora que eu ia dar uma bela lição nele pra aprender quem é que manda! Sabem por quê? Por que quem manda é quem paga o salário de vocês! Éééé... Manda quem tem dinheiro, ouviram bem? Eu é que pago essa porcaria de mensalidade pro meu filho vir aqui nessa droga de escola fazer o que ele bem entender! — o empresário não parava de gritar absurdos, chegando a ficar com os olhos saltados de tão irritado que estava. — Suspensão? Pois, sim! Essa escola é que não é boa o suficiente pro meu filho! Só tem aluno chorão, que não honra as calças que veste. Mas o meu filho, não! O meu filho é macho! Ele tem mais é que dar na cara dessa molecada covarde que vai lá na coordenação ficar inventando mentira sobre ele!

— Bom, agora tá mais do que explicado porque o Mário é do jeito que é — cochichou Pinguim para seu irmão.

— Tudo bem. Mas ter um pai imbecil não dá direito a ele de implicar com a gente o tempo todo! — devolveu Piolho.

— Vocês vão ver só! — Murilo Moltoricco continuou com seu discurso agressivo enquanto era empurrado para fora do portão da escola. — O meu filhão não volta no ano que vem pra essa porcaria de escola não; ele vai é pra uma muito melhor e mais cara que essa! Ouviram bem? Vai é estudar no exterior. Pra cá ele não volta, não!!!

— Amém! — sussurrou Piolho, aliviado.

Sentindo-se pequeno e humilhado, Mário se dirigia para fora do colégio. Contudo, antes de sair, olhou para o alto, buscando as janelas da sala onde estudavam os membros da Página Pirata. Ao encontrar os olhos de Pastilha e Paçoca, o valentão de cabeça raspada fechou a cara. Ele ergueu o dedo indicador e apontou na direção deles, para então passar o mesmo dedo pelo pescoço, num gesto desafiador e vingativo.

Pastilha engasgou de medo, sentindo a cabeça latejar de tensão. Precisou apelar para uma dose de sua bombinha para a asma.

Já Paçoca quase fez xixi nas calças.

— Eles tiveram o castigo que mereceram — disse Peteca, voltando para sua mesa agora que o "espetáculo" no pátio chegara ao fim. — Uma semana de suspensão foi até pouco por tudo o que andaram aprontando!

— Tudo bem. Mas o que vai acontecer com a gente quando eles voltarem pra escola? — perguntou Pastilha, apreensiva.

Silêncio. Nenhum de seus amigos quis arriscar um palpite.

Paçoca permaneceu mudo durante o restante da aula. Na verdade, o pequeno cientista decidiu que não abriria mais a boca naquele dia. Nem mesmo para comer seu lanche, já que perdera completamente o apetite. Preferiu passar o recreio inteiro isolado, sentado no chão num cantinho do pátio, olhando uns meninos mais velhos jogarem bola.

Plínio achava futebol uma coisa tão sem propósito; não conseguia entender como tanta gente podia gostar daquilo. Ciência era algo tão mais divertido! Será que algum daqueles garotos seria seu amigo se soubesse que ele tinha um baita laboratório em casa, repleto de coisas incríveis que ele mesmo havia criado?

O menino suspirou ao concluir que, provavelmente, não.

Distraído com seus próprios pensamentos, Paçoca não viu quando dois garotos enormes vieram em sua direção durante uma acirrada disputa pela bola. Caíram por cima dele e rolaram pelo chão. Levantaram furiosos, reclamando com ele por estar atrapalhando a partida ficando sentado ali no chão, no meio do campo.

— Mas eu só estou aqui sentado no meu canto... Aqui não é o campo...

— Não interessa! Sai já daí, seu gordão! Olha só o quanto de espaço que você ocupa com essa banha toda! Ha, ha, ha...!

Paçoca se levantou. Não por que quisesse obedecer àqueles moleques imbecis, mas por não querer que eles o vissem chorando.

As duras palavras ditas por Princesa no dia anterior lhe vieram à mente:

"Enquanto você ficar só se fazendo de vítima, sempre vai ter um querendo te zoar. Hoje é o Mário, amanhã vai ser outro! Ou por acaso é só ele que chama você de gordo aqui na escola?"

O menino engoliu em seco e segurou o choro.

"A vida é assim: sempre vai ter alguém querendo pisar na gente. Se a gente não souber se defender a coisa só piora. E piora, e piora, e piora, e piora..."

Paçoca sabia que era chegada a hora de mudar de vida, pois a coisa não poderia continuar do jeito que estava. Era preciso reagir; mostrar ao mundo que ele não estava ali para ser eternamente ridicularizado.

O tempo seria seu maior inimigo a partir de agora. Ele tinha exatamente uma semana para bolar um jeito de se defender da tempestade que começava a se formar no horizonte.

E essa tempestade furiosa tinha nome e sobrenome: era o furacão Mário Moltorrico.

Capítulo 11

Gênio Trabalhando

Paçoca jamais passara tantas horas seguidas dentro de seu laboratório. Aquilo estava deixando seus pais preocupados, pois a mãe já chamara o filho para jantar três vezes e o menino ainda não viera para a mesa. Definitivamente esse comportamento não era normal.

— Filho, o que você anda aprontando aí dentro? — perguntou a mãe, apertando o botão do comunicador que havia ao lado do portão de metal que dava para o laboratório do garoto.

Silêncio.

— Plínio, você está aí? Responde pra mamãe...

A tela do comunicador se acendeu e a cara rechonchuda de Paçoca surgiu no vídeo. O menino usava um capacete de soldador e estava todo sujo e suado.

— Oi, mãe! Desculpa, é que eu não escutei você por causa do barulho da soldagem.

— Para um pouquinho de trabalhar e vem comer comigo e com o papai, vem? Estamos te esperando e a fome já está batendo...

— Podem comer sem mim, não estou com fome! Não devo jantar hoje.

A mãe estremeceu.

— Como é? Você disse que... que não está com fome?

— É, não estou mesmo. Deixa eu terminar aqui.

— Filho, abre a porta? Você está doente? Fala comigo, o que é que você tem?

— Poxa, mãe! Eu estou bem! É que eu tive uma ótima ideia, e não quero sair enquanto não terminar uma parte importante aqui de um novo invento.

— Ah, é? E o que faz esse novo invento, posso saber?

O menino sabia perfeitamente bem que sua mãe não fizera aquela pergunta apenas por fazer. Ela, assim como o marido, era uma renomada cientista e amante da ciência. Estimulava seu filho a estar sempre inventando coisas novas e a se dedicar à pesquisa científica.

Não, o tom da pergunta feita pela mãe não era de reprovação, mas, sim, de pura curiosidade. Ela realmente gostaria de saber em quê o filho estava trabalhando.

— É que eu estou aqui aprimorando aquele projeto formidável que o papai abandonou no ano passado... Lembra dele?

— O Reorganizador Atômico Induzido? Aquela teoria doida do seu pai de que seria possível transformar coisas em outras com um mero pensamento? Ha, ha, ha... Aquilo era pura ficção científica, filho! Uma maluquice do seu pai que não tinha como dar certo; não tinha nenhum fundamento teórico. Por que resolveu mexer com isso agora? Vai perder o seu tempo, meu amor...

— Ah, mas é que eu desenvolvi uma nova teoria e, se meus cálculos estiverem corretos, eu acredito que... Bem, não quero estragar a surpresa! Deixa eu trabalhar, mãe...

— Mas filho, e o jantar?

— Ai, mas eu já disse que não estou com fomeeee!!!

— Então está bem! Depois não vai reclamar que eu não te chamei pra comer, seu teimoso. Credo, você parece até o seu pai quando se enfia nesse laboratório... Só toma cuidado pra não explodir a casa igual ele faz às vezes, viu?

— Ha, ha, ha! Pode deixar, mãe. Fui!

A tela do comunicador se apagou.

— Ai, meu geniozinho. Orgulho da mamãe! — disse a mulher com um largo sorriso no rosto, voltando para a sala para poder jantar com o marido.

— Filho, telefone pra você!

— Quem é, mãe? Estou ocupado!

— E eu sei lá? Deve ser algum amigo seu. Quer fazer o favor de vir aqui e atender? Aproveita e vê se sai um pouco desse laboratório e vai brincar lá fora. O dia está lindo!

Paçoca resmungou qualquer coisa e foi atender o telefone.

— Alô?

— *Seu gorducho de uma figa! Tu tá ferrado quando eu colocar as minhas mãos em você! Vou fazer picadinho de você e dar pros cachorros da rua comerem!*

O menino ouvia as ameaças em silêncio; os olhos arregalados. O corpo inteiro tremia.

— *Marca na sua agenda, bolo-fofo: segunda-feira que vem. É o dia em que você vai desejar nunca ter nascido! E nem adianta não aparecer lá na escola... Eu sei onde você mora! Se eu tivesse a fim, eu podia ir até aí agora mesmo pra acabar contigo, mas eu prefiro fazer isso na frente de todo mundo! Vou destruir você e aquela sua amiga feiosa, a tal que vive doente. Vou fazer questão de bater nela na sua frente, ouviu bem? Fica pensando nisso até lá. Fui!*

Desligaram. Paçoca engoliu em seco.

Correu de volta para seu laboratório e trancou a porta. Teria trabalho dobrado pela frente.

Seu novo invento teria que oferecer proteção à Pastilha também.

— Você é um gordão balofo! — bradou Paçoca, cheio de raiva, falando ao gravador que levara até a boca.

"Você é um gordão balofo!" ele ouviu de volta ao reproduzir o que acabara de gravar no aparelho.

Empolgado, o menino tratou de ligar seu recém-finalizado invento. Após quase uma semana inteira de trabalho árduo, era chegada a hora de testá-lo, finalmente. Um breve som elétrico se fez ouvir. Paçoca colocou o gravador sobre uma mesa, apertou a tecla "PLAY" e se afastou.

"Você é um *GORDÃO BALOFO!*"

ZAAAP!

O pequeno inventor mal pôde acreditar em seus olhos.

O invento funcionara perfeitamente!

Agora ele podia ir para a escola tranquilo.

E ai de quem ousasse mexer com ele!

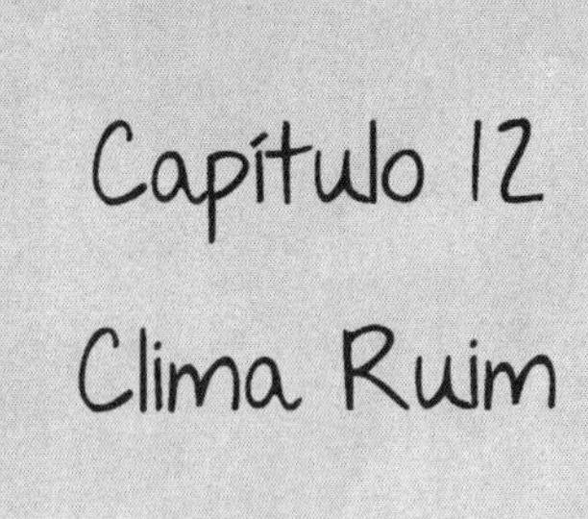

Capítulo 12

Clima Ruim

Os portões do Colégio São João nunca pareceram tão imponentes aos olhos de Paçoca quanto na manhã daquela segunda-feira, dia em que Mário, Meleca e Soneca retornariam da suspensão. O menino, que acabara de descer do carro do pai, encarou a entrada de sua escola como se olhasse para um terreno proibido e inóspito; um local antigo que guardava uma terrível maldição, tal qual a tumba de um faraó.

Paçoca respirou fundo e abriu a enorme sacola que trazia nas mãos. Ele havia mentido para o pai dizendo que trouxera um experimento para apresentar na aula de Ciências. Não, o que o menino retirou da sacola era, na verdade, a sua única defesa contra o mal que estava prestes a enfrentar.

O menino se equipou com seu mais novo invento e fechou os olhos, disposto a encarar seus medos. Caminhou até o portão e o atravessou. Deu bom-dia ao inspetor Raimundo, que levou um baita susto ao vê-lo.

Ele não foi o único.

Quanto mais Paçoca avançava escola adentro, mais chamava para si a atenção de todos os que já haviam chegado. Não demorou até que seus amigos da Página Pirata olhassem para ele e se unissem ao bando de espantados que o encaravam boquiabertos. Pastilha correu até ele, horrorizada.

— Paçoca? O que é essa coisa na sua cabeça?!?

O menino gênio usava um capacete gigante de metal, repleto de fios e lâmpadas. Do topo, saía um par de antenas de TV. Havia ainda uma pequena antena parabólica pendendo para um dos lados de sua cabeça. Não era possível ver o rosto inteiro do menino, apenas seus olhos, o nariz e parte da boca, escondidos atrás de um vidro espesso, já embaçado devido à sua respiração. Toda aquela parafernália o deixava com a mesma aparência do que seria o cruzamento entre um invasor do espaço e um escafandrista.

— Toma aqui, Ju. Fiz um desses pra você também.

— Pra mim? Ficou doido? Nunca vou usar um treco desses!

— Acredita em mim. É pro nosso bem! Se eu pudesse teria feito um pra cada um de nós, mas só tive tempo pra fazer esses dois...

— Pro nosso bem? Do que você está faland... Oh, Deus...

— O que foi, Ju?

A menina não respondeu. Estava apavorada demais com o que acabara de ver entrando no colégio. Eram Mário, Meleca e Soneca. Os três caminhavam a passos lentos e pesados, olhando para a escola inteira com ares de quem tinha sede de vingança. Até o inspetor se viu intimidado com a presença deles.

Vale informar que a semana anterior fora uma das mais calmas de todos os tempos no Colégio São João. Durante o período de suspensão do trio de valentões, a paz voltara a reinar por ali. Não houve qualquer relato de abuso; os recreios transcorreram livres de brigas e confusões. Pássaros cantavam melodias alegres, flores perfumadas brotavam dos canteiros, borboletas coloriam a vida dos estudantes. A rotina escolar praticamente virara um filme animado da Disney.

Contudo, todos os alunos sabiam que aquilo não iria durar para sempre.

E o dia da terrível mudança finalmente havia chegado. Uma nuvem carregada escureceu o céu. Uma revoada de pássaros se fez notar não muito longe dali. As plantas murcharam, todas de uma só vez. O silêncio se mostrou tão presente que chegava a doer nos ouvidos.

— VOCÊS!!! — bradou a voz poderosa de Mário, que pareceu sair das profundezas da terra.

O valentão olhava para o centro do pátio, onde estavam Pastilha e Paçoca. O ódio que o rapaz exalava podia ser sentido no ar. Seus olhos estavam saltados; os dentes, cerrados. Ele fazia movimentos estranhos com os pés, atirando terra para trás como se fosse um touro prestes a investir contra o toureiro.

— Anda, Ju! Põe isso na cabeça! — suplicou Paçoca, desesperado.

Sua amiga estava paralisada pelo medo.

O inspetor mandou que Mário parasse com as ameaças, mas foi totalmente ignorado. O homem gritou com ele, dizendo que o mandaria para a diretoria se não parasse com aquilo. Lembrou que se ele continuasse a agir daquele jeito, seria expulso da escola.

As palavras do inspetor entravam por um ouvido e saíam pelo outro. Mário só parecia ter olhos e ouvidos para Paçoca e Pastilha. Eram seu alvo.

Pinguim e Piolho foram até os amigos, lamentando o fato de Pimenta chegar sempre atrasado. Se ele estivesse ali, a história seria outra. Já Peteca e Princesa acompanhavam a tudo bem de longe, estando tão apavoradas quanto o restante dos alunos. Ninguém mais ousaria se meter naquele acerto de contas.

Subitamente, Mário gritou como uma fera. Era mais do que um grito; era quase um rugido! O valentão se pôs a correr feito um louco, arfando e babando.

Aos berros, Paçoca enfiou o capacete extra na cabeça de Pastilha e ligou o dispositivo. Apressou-se em acionar o seu próprio equipamento também e torceu para que a coisa funcionasse direito.

Mário mergulhava em sua direção, quase que em câmera lenta. O menino viu seus dez anos de vida passarem num rápido *flashback* diante de seus olhos.

Quando voltou a si, viu Mário diante dele, rindo feito um alucinado. O adolescente grandalhão havia parado a poucos centímetros do seu rosto. Sequer o tocara.

— BÚÚÚÚ!!!

Mário, Meleca e Soneca quase morreram de tanto dar risada. Ninguém mais os acompanhava em sua alegria.

— Pode deixar, garoto — falou o valentão, sorrindo. — A suspensão fez a gente aprender a lição! Daqui pra frente vamos tratar todo mundo aqui na escola com respeito! Nada de aprontar, né, Meleca?

— Nada de aprontar, Mário. Agora a gente é do bem! Né, Soneca?

O terceiro membro da gangue limitou-se a concordar com os outros dois, sacudindo a cabeça de maneira débil.

— Muito bem, acho ótimo vocês três tratarem de andar na linha mesmo! — ameaçou o inspetor, que respirava aliviado. — Eu já estava quase indo lá na secretaria chamar o diretor...

— Relaxa! Ninguém aqui nessa escola vai nem chegar perto do meu mais novo amiguinho... — falou Mário, apontando para Paçoca.

O menino olhava pra ele sem entender nada.

— Vamos lá, pessoal! É hora de estudar! — gritou Meleca para o público ao redor. — Todo mundo subindo pra sala de aula!

O clima, aparentemente, voltara ao normal no Colégio São João. Exceto para os integrantes da Página Pirata.

— Isso não está me cheirando nada bem... — disse Pastilha, sua voz saindo abafada por causa do capacete que lhe revestia a cabeça.

— Ah, nem vem! Minha mãe me obrigou a tomar banho hoje. Tô limpo e até cheirosinho...

— Não é isso, Piolho! Estou falando desse súbito comportamento "bonzinho" do Mário. Aí tem coisa!

— Com certeza — falou Pinguim, desconfiado. — Acho bom todo mundo ficar de olho bem aberto!

— E aí, galera? Perdi alguma coisa? — quis saber Pimenta, que acabara de chegar na escola. O rapaz levou um susto ao olhar para Pastilha e Paçoca. — Eita, o que são esses troços na cabeça de vocês?

— Pois é! Isso eu também gostaria de saber! — disse Juliana, olhando feio para o amigo inventor.

— O nome disso aqui é proteção! Anda, vamos pra aula. Depois eu explico.

— Ei, nada disso! Eu quero que vocês me ajudem a tirar isso da minha cabeça primeiro!

Pimenta tentou puxar o capacete, mas a menina começou a gritar de dor e mandou que ele parasse. Tentaram novamente, sem sucesso. Pinguim também tentou e, depois, Piolho. A coisa não queria sair de jeito nenhum.

— Paçoca, você passou cola nisso, foi?

— Eu não, Pinguim! Eu sei lá porque é que o capacete não está saindo... O meu também ficou... hunf... preso! Argh!

— Ai, eu não acredito! Alguém dá um jeito de tirar essa coisa de mim?!?

— Calma, Ju! A gente vai te ajudar! — falou Pimenta. — Só que agora é melhor a gente subir pra aula! A chata da Lurdes já tá subindo, olha lá...

— Eu não acredito que vou ter que assistir aula de Geografia com a cabeça enfiada nessa panela de pressão! Paçoca, você me paga!!!

— Ah, sua ingrata... Você ainda vai me agradecer por eu ter feito um desses pra você! Depois eu te explico o que ele faz.

— Acho bom mesmo, porque isso aqui, até agora, só me fez sentir ódio de você!

Capítulo 13

Perdendo o Controle

A aula de Geografia estava prestes a começar quando os sete integrantes da Página Pirata apareceram na porta da sala e se puseram a entrar de fininho, um após o outro. É claro que ouviram uma bela bronca da professora Lurdes, que começou a dar um ataque, lembrando que, na aula dela, não era permitido que alunos entrassem depois que ela já estivesse dentro de sala. A velha só se calou quando se deparou com Paçoca e Pastilha, que entraram por último.

Para desespero das duas crianças, a professora começou a rir como provavelmente jamais fizera em toda sua amarga vida. A maioria dos alunos da turma a acompanhou na gozação.

— Mas que coisa é essa na cabeça de vocês? — exigiu saber a mulher, enxugando as lágrimas que lhe escorriam do canto dos olhos, borrando a maquiagem mal feita que ela teimava em usar.

— Olha, professora, é melhor a gente deixar isso pra lá... — disse Paçoca, enquanto apertava, sem parar, um botão na lateral de seu capacete. Fazia o mesmo com o aparelho preso à cabeça de Pastilha. Já a menina só se ocupava em lhe dar tapinhas nos braços e nas costas, revoltada com a humilhação que ele a estava fazendo passar.

O que ninguém naquela sala de aula sabia, no entanto, era que o menino gênio estava desesperadamente tentando desligar o seu mais novo invento, mas o botão havia emperrado. E, para seu completo azar, o mesmo acontecera com o dispositivo de sua amiga. Paçoca suava frio, tentando pensar numa solução para aquele contratempo.

— Bom, eu só vou começar a minha aula depois que vocês tirarem essas coisas grotescas da cabeça...

— Professora, a gente já tentou de tudo, mas não tá saindo...!

— Não me interessa! Desse jeito vocês não ficam aqui dentro. Estão *RIDÍCULOS*!

ZAAAP!

A turma inteira explodiu numa gargalhada que chegou a abalar a estrutura do prédio em que estavam.

— Essa não...! — lamentou Paçoca, suando frio.

Indignada, dona Lurdes demorou a perceber do que é que seus alunos tanto riam. Então olhou para si mesma e quase teve um ataque cardíaco ao se descobrir usando uma roupa justíssima de Mulher-Gato, com direito a rabinho e tudo, além de um enorme sombrero mexicano, peruca rosa e sapatos de palhaço.

— AAAAAAIIIIII!!!! MAS O QUE É ISSO?!? CADÊ AS MINHAS ROUPAS?!?

A velha professora entrou em desespero e saiu da sala gritando, largando a turma sozinha. Ninguém ali entendeu nada, mas isso não pareceu importar aos alunos: todos comemoraram o fato de que não haveria mais a aula de Geografia. Os estudantes se levantaram e começaram a falar alto e a fazer a maior bagunça.

— Paçoca, por favor, me diz que essa maluquice que acabou de acontecer não tem nada a ver com essa sua invenção...

— Ju, m-me perdoa... Eu não pensei que... Q-quero dizer... Eu juro que tive boa intenção quando eu... Ai, meu Deus... O que f-foi que eu fiz? Eu preciso dar um jeito de desligar essa c-coisa!

— Como assim desligar? O que é que isso faz?

— É que... bem... eu...

— Anda, fala, garoto!

— Eu m-meio que criei... a m-máquina antibullying!

— Você criou o quê...? — quis saber Piolho, que viera se juntar aos dois.

— A máquina antibullying! Um equipamento que pudesse proteger a gente das gozações do Mário e dos capangas dele.

— E o que isso faz?!? — perguntou Pimenta, visivelmente preocupado.

— Bem... Se alguém caçoar de mim ou da Pastilha enquanto esses capacetes estiverem acionados, os nossos cérebros vão detectar a ofensa e enviar automaticamente um comando para o aparelho, que vai disparar contra o agressor o raio indutor reorganizador de átomos que o meu pai criou e eu aperfeiçoei...

— Será que dá pra traduzir isso pro português? — reclamou Peteca.

— Resumindo: qualquer pessoa que xingar a gente, vai se transformar justamente naquilo que usou pra nos ofender!

— Então foi isso o que aconteceu, Paçoca? A professora Lurdes chamou a gente de ridículos e aí ela ficou... ridícula? — lembrou Pastilha, surpresa.

— S-sim... É mais ou menos por aí.

— Ai, eu não acredito! — protestou Princesa, irritada. — Paçoca, você sabe que você é *DOIDO*, não sabe?

ZAAAP!

— Princesa, não!!!

Mas o alerta viera tarde demais. A jovem ficara doidinha de pedra, exibindo um olhar estúpido e passando a falar um monte de coisas sem sentido, numa espécie de mantra:

— Jujuba... Mariola... Chiclete... Pirulito...

A linda garota olhou para a janela e gritou que sabia voar, colocando-se de pé. Pimenta precisou segurá-la antes que a amiga fizesse alguma besteira.

— Paçoca, olha só o que você fez!!! Faz ela voltar ao normal, já!

— Desculpa, Pimenta! Eu prometo que endireito a Princesa depois! Mas me ajudem logo a tirar essa coisa antes que alguém se machuque de verdade.

Piolho e Pinguim tentaram puxar o capacete de Pastilha, enquanto Peteca tentou arrancar o de Paçoca. O esforço de nada adiantou.

— Ai, Paçoca, isso não sai de jeito nenhum! — protestou a atleta. — Mas você também, né? Tinha que ter essa *CABEÇONA GORDA?*

ZAAAP!

— Peteca!!!

A jovem ginasta começou a chorar, em pânico. Sua cabeça dobrara de tamanho e inflara feito um balão, de modo que suas bochechas estavam tão grandes que ela mal conseguia falar.

— Soco-oooo! Soco-ooooo!!! — esse era o jeito dela gritar por socorro.

Aquela visão grotesca logo chamou a atenção do restante da turma. Todos saíram correndo da sala e desceram as escadas aos berros, de modo que o pânico rapidamente se espalhou por todos os andares daquele prédio. Alunos de diferentes anos aproveitaram a confusão para colocar ainda mais lenha na fogueira, gritando frases como "TÁ PEGANDO FOGO!", "SOCORRO, LADRÃO!" e "O PRÉDIO VAI CAIR!" entre outras manifestações pouco espirituosas. Sim, porque em situações extremas como a que está sendo narrada aqui sempre encontraremos a figura do espírito de porco.

— A gente tem que ajudar a Peteca! — falou Pinguim, deitando a amiga no chão, para que ela não fosse esmagada pelo peso da própria cabeçona.

— Deixa ela aí! Vocês têm é que me ajudar a desligar essa coisa antes que mais alguém se transforme em algo ainda mais bizarro!!! — lembrou Paçoca, irritado. — É esse botão aqui do lado, ó!

— Eu já apertei aí um monte de vezes, mas não adiantou! — disse Piolho, desanimado. — A bateria dessa coisa não acaba, não?

— Acaba. Só que eu usei uma bateria de longuíssima duração, que, pelos meus cálculos, tem carga pra durar pelo menos umas duas semanas...

— E não tem um jeito de remover a bateria?

— Tem... Mas só pelo lado de dentro, retirando o capacete... Só percebi agora essa falha de projeto!

— Ah, mas você também, hein? Vai ser *BURRO* assim lá na esquina!

ZAAAP!

— Ih, óh! Ih, óóóh!

— MANO?!?

Pinguim entrou em pânico ao ver seu irmão Piolho transformado num burro, zurrando e dando coices, sem parar. O bicho tinha uma cara engraçada, pois era fácil identificar os traços de Piolho nos olhos e nos cabelos.

— Paçoca, o que foi que você fez comigo? Ih, óh! — perguntou o burrico.

— Você... Você fala?!?

— Ser burro nunca me impediu de falar antes! Ih, óh!

Paçoca, Pinguim, Pastilha e Pimenta olharam para o amigo-burro com cara de espanto.

— É, eu acabei de fazer uma piada comigo mesmo, nessa situação... Ih, óh! Eu sou assim: rio da minha própria desgraça! Ih, óh! Agora vocês têm que dar um jeito de me transformar de volta! Ih, óh!

— Não vai adiantar nada a gente ficar aqui discutindo — determinou Pastilha. — Temos que ir até a casa do Paçoca e lá ele pensa num jeito de desfazer essa lambança toda!

Todos concordaram. Saíram da sala de aula e se puseram a descer as escadas, com medo de encontrarem alguém pelo caminho. Afinal, o novo visual da turma da Página Pirata era algo, no mínimo, estranho de se ver: havia um menino gorducho e uma menina magricela, ambos com estranhas geringonças eletrônicas encobrindo completamente suas cabeças; havia um rapaz carregando uma garota louca nos braços e outro ajudando uma menina com uma cabeça inflada feito um balão a caminhar. E havia um burro falante de cabelos ensebados cheios de piolhos.

Para sorte deles, o prédio onde estavam já se encontrava vazio.

E para azar deles, o pátio estava lotado. Professores e funcionários vinham se informar sobre o que estaria acontecendo, e os alunos se revezavam em apresentar as explicações mais bizarras possíveis. A verdade é que ninguém sabia explicar a origem de tamanha confusão. A professora Lurdes também não colaborava; ela só fazia gritar, perguntando a todo mundo sobre o paradeiro de suas roupas. O visual no estilo "Mulher-Gato mexicana" não contribuía para que ela fosse levada a sério. Não demorou para que alunos de outros prédios começassem a descer junto com seus professores, todos com medo de que estivesse acontecendo algo de muito grave na escola.

— Ah, mas que ótimo! — ironizou Pastilha. — Nunca vamos conseguir sair do colégio sem que vejam a gente assim.

— Eu tive uma ideia! — disse Pinguim. — Quase todo mundo na escola já viu que você e o Paçoca estão usando esses capacetes bizarros hoje. Porque vocês dois não vão lá pro meio, chamam a atenção da galera pra vocês, enquanto eu e o Pimenta levamos as garotas e o meu irmão pra fora daqui?

— Acho arriscado, mas também não vejo outro jeito. Vem, Paçoca.

— O quê? Ir aonde, Ju?

— Fazer o que o Pinguim sugeriu. Vamos chamar a atenção da escola toda pra gente!

— Não, não... Isso é uma péssima ideiaaaaa...!

A menina arrastou o amigo pelo meio da multidão. Ao chegarem ao centro do pátio, ela gritou:

— Pessoal, por favor, nada de pânico!!! A escola não está pegando fogo, não tem ladrão nenhum aqui dentro, nem está acontecendo nenhuma das mentiras que estão inventando pelos corredores!

Pastilha olhou por entre os estudantes e viu que seus amigos já estavam quase chegando ao portão da escola. Ela teria que enrolar toda aquela gente só mais um pouquinho. Juliana respirou fundo e retomou o discurso:

— O que está havendo aqui é apenas um grande mal entendido; são só boatos espalhados por gente que não estava a fim de assistir aula!

— E como é que você pode afirmar isso com tanta certeza, hein, sua *PIRRALHA*?!? — gritou um rapaz do ensino médio.

ZAAAP!

No instante seguinte, o garoto encolheu de tamanho. Deixou de ter dezesseis anos e passou a aparentar ter uns nove ou dez, ficando magrinho, magrinho, com roupas que pareciam estar largas demais.

O silêncio reinou absoluto no pátio por alguns instantes. Pastilha só conseguia ouvir o bater acelerado do próprio coração.

Súbito, o mundo ao redor explodiu numa gritaria desordenada. Alunos e funcionários da escola se puseram a correr, apavorados diante da metamorfose inexplicável que haviam acabado de testemunhar. Outros, mais espertos, logo associaram o ocorrido com o estranho invento de Paçoca.

— Foi você, não foi? — acusou um garoto, apontando o dedo na cara de Paçoca. — Foi você que fez isso com o meu amigo! Faz ele voltar ao normal, seu *GORDÃO!*

ZAAAP!

E o moleque que ameaçava o inventor ficou enorme de gordo.

— O que você fez com ele, seu *BOLO-FOFO?*

ZAAAP!

A adolescente foi transformada num bolo bem apetitoso, com cobertura de chocolate e uma flor feita de açúcar no topo.

— Aaaah, alguém faz esse *BALÃO* parar de transformar as pessoas?

ZAAAP!

Vários garotos e garotas precisaram se unir para segurar uma moça que inflara feito um balão e começara a subir aos céus. Acharam uma corda para amarrá-la e a deixaram presa no meio do pátio.

Pastilha olhou rapidamente para Paçoca e viu que

o amigo não conseguia parar de balançar a cabeça de um lado para o outro, como se não quisesse acreditar no mal que causara à todos por ter levado aquela coisa perigosa para sua escola. Solidária, a menina pegou em sua mão e tentou afastá-lo da multidão que ameaçava agredi-lo.

— Ei, Juliana! — gritou uma garota do nono ano, ao perceber que os dois tentavam fugir dali. — Então você também tá metida nisso com ele, né? Eu sempre achei que você não era digna de confiança, sua... sua *QUATRO-OLHOS CHEIA DE DOENÇA!*

ZAAAP!

A jovem que ofendera Pastilha ficou com a pele do rosto esverdeada e cheia de bolinhas vermelhas. Em meio a muitos espirros, ela chamou por socorro, mas ninguém quis ajudá-la, com medo de que aquela estranha doença fosse contagiosa. O fato da garota possuir agora um par de olhos a mais no meio da testa também não ajudava.

Pastilha e Paçoca saíram correndo pela meio da multidão. Durante o trajeto, ouviram toda a sorte de xingamentos contra eles, seguidos de vários ***ZAAAPs.*** Ao olharem para trás, se depararam com um pátio lotado de aberrações. Viram crianças exageradamente obesas e famintas, atacando a cantina da escola como se fossem zumbis atrás de cérebros. Viram jovens exibindo um par de olhos a mais no rosto, o que parecia estar afetando seu senso de equilíbrio, fazendo com que caíssem uns por cima dos outros. Quase todos se viram afetados pelos sintomas de alguma doença desconhecida, tossindo e espirrando uns sobre os outros. Em resumo:

viram sua escola se tornar o palco de um verdadeiro show de horrores!

Os dois amigos voltaram a dar as costas para toda aquela confusão e se puseram a correr. Só que logo trombaram com um paredão sólido que surgiu diante deles, parecendo sair de lugar nenhum. Paçoca e Pastilha foram ao chão. Atordoados, olharam para o alto.

E viram Mário, Meleca e Soneca, encarado-os com sede de vingança. O valentão de cabeça raspada se inclinou por cima deles, de modo que o céu pareceu ter escurecido, e falou, em tom de ameaça:

— Ah, parece que o recreio começou mais cedo hoje. Vamos brincar?

Capítulo 14

Caos no Colégio

O bafo do grandalhão embaçou as janelinhas dos capacetes de Pastilha e Paçoca. Sem quase conseguirem enxergar, os dois tentaram fugir, mas foram erguidos ao alto por Mário e Meleca, que não paravam de rir de tão cheios de crueldade que estavam.

— Põe a gente no chão! — ordenou a menina, sacudindo as pernas.

— Olha só isso. Parece que tem alguém aqui com medo de apanhar...

— Já a gente tá com vontade é de bater, né, Mário?

— É isso aí, Meleca. Principalmente nesses dois aí, que fizeram a gente ser suspenso a semana inteira! Eu que tive que ficar em casa aguentando o meu pai me perturbando com aquele velho papo dele: "Viu só a vergonha que você me fez passar lá na sua escola, seu moleque?" — Mário falava imitando os trejeitos do empresário, fazendo uma careta bem carrancuda. — "Se vai bater em alguém por lá, vê se faz o serviço direito! Os astutos, como eu, atacam os adversários pelas costas, sem deixar pistas. Foi assim que eu fiquei rico, e é assim que se consegue as coisas nessa droga de vida: passando a perna nos outros. Esse é o único jeito de se dar bem, guri."

— O seu pai te diz isso? — assombrou-se Paçoca. — Fala pra ele que tem gente que consegue vencer na vida sem fazer mal a ninguém...

— Ele ficou rico, não ficou? Quem nunca ouviu falar de "Murilo Moltoricco", não é mesmo? E os pais de vocês são ricos, por acaso?

— O meu conceito de riqueza é diferente do seu — disparou Pastilha. — Pra mim, o meu pai é o homem mais rico do mundo!

— Ah, é? Espero que ele seja bem rico mesmo pra pagar o implante dos seus dentes depois que eu acabar com você, garota.

Soneca nada dizia, mas se acabava de rir com as ameaças proferidas por seus colegas.

— Ah, mas é preciso ser um sujeito muito frangote mesmo pra querer bater numa garota. Vê se me larga, seu covarde troglodita! — Pastilha reuniu toda a força que tinha e deu um chute certeiro no abdômen de Meleca.

— Aaaai!! Sua... Sua... — enquanto choramingava de dor, o rapaz se pôs a pensar numa ofensa bem agressiva e original contra a menina. Ela, por sua vez, passou a nutrir a esperança de que ele realmente a xingasse. Qualquer coisa serviria.

Afinal, era exatamente isso o que ela queria agora: ser ofendida por ele.

— ... Sua *METRALHADORA DE ESPIRROS!*

ZAAAP!

— Aaaahhhh... Aaaaahhhhhh... Tchiiiiimmmmm!!!

Mário e Paçoca levaram um banho de meleca e perdigotos.

— Pô, Meleca, olha só o que você fez! Que nojento! — reclamou o valentão. — Vê se vira essa sua nareba asquerosa pro outro lado!

— Aaaahh... Aaaahh... Tchiiimm!!!

Dessa vez foi Soneca quem se viu coberto de gosma verde da cabeça aos pés. Sonolento, o mudinho limitou-se a soltar um suspiro tristonho.

Sem conseguir parar de espirrar, Meleca largou Pastilha e se afastou um pouco. No entanto, a menina jamais sairia dali sem seu amigo.

Mário estava ainda mais irritado agora. O líder dos valentões pegou o menino gênio pelos pés e o virou de cabeça para baixo, ignorando os protestos de Pastilha. Começou a sacudi-lo, esvaziando tudo o que havia em seus bolsos: desde dinheiro até guloseimas. Mandou que Soneca recolhesse tudo, coisa que o comparsa fez prontamente.

— Que tal se a gente agora brincasse de bater com a sua cabeça no chão, hein? Já que você enfiou ela dentro dessa geringonça, a gente podia testar pra saber o quanto que esse capacete consegue proteger o seu cocuruto das pancadas. Não acha uma ideia legal?

O menino nada respondeu. Limitou-se a tatear o dispositivo em busca de um botão que ele havia prometido a si mesmo que usaria apenas em último caso. Assim que o encontrou, tratou de pressioná-lo.

Uma onda de choque lançou Mário e sua gangue para bem longe, fazendo com que fossem de encontro a uma parede e caíssem prostrados no chão, uns sobre os outros.

— O que foi isso? — perguntou Pastilha, ajudando o amigo a se levantar.

— Nossos capacetes podem projetar um campo de força. Construí a máquina antibullying pensando em proteger a gente não só das agressões verbais, como também das físicas.

— Opa, disso aí eu gostei. Qual é o botão que eu tenho que apertar mesmo?

O trio de valentões logo se colocou de pé. No instante seguinte, os moleques já corriam na direção de Pastilha e Paçoca feito uma manada de búfalos. A menina sequer titubeou: assim que os malvados estavam bem perto, pressionou o botão indicado pelo amigo e os mandou para longe.

Mário, Meleca e Soneca voaram como se carregados por um tufão. Caíram uns por cima dos outros de maneira desastrosa. A força do segundo golpe lhes pareceu ter sido ainda maior que a do primeiro, de modo que demoraram muito mais tempo para se levantar.

— Amei, Paçoca. Eu poderia fazer isso o dia inteiro, ha, ha, ha!

— É bem legal, né? Só tem uma coisinha...

— O quê?

— Leva cerca de meia hora até o campo de força ser recarregado e o botão voltar a funcionar. É melhor a gente sair daqui, e já!

Pastilha e Paçoca se deram as mãos e correram de volta para a grande confusão instalada na área mais central do pátio da escola. A multidão de jovens que se aglomerava ali enfrentava agora os seus próprios problemas, entre doenças contagiosas e quadros de obesidade. Ou seja, ninguém mais sequer se importava com a existência daqueles dois.

Ao olharem para trás, viram que Mário e seus capangas haviam se recuperado da segunda onda de choque e que, pior, já estavam quase os alcançando. Só um milagre os salvaria agora.

E o milagre veio na forma de mais um xingamento.

— Vê se para de correr, seu *ELEFANTE DESTRAMBELHADO!*

ZAAAP!

Nunca em sua vida Paçoca se sentiu tão feliz por ser chamado de algo tão ofensivo e, ao mesmo tempo, estapafúrdio. Assim que olhou pra trás, viu que o corpo de Meleca já começava a se transformar, suas orelhas crescendo assustadoramente, seu corpo engordando até parecer que iria explodir, suas mãos e seus pés virando gigantescas patas, seus dentes dando lugar à presas de marfim, seu nariz se transformando numa poderosa tromba.

Meleca, transmutado num elefante destrambelhado, se pôs a cambalear de um lado para o outro feito um bêbado. O estrago foi enorme: o paquiderme derrubou paredes, invadiu a cantina, estourou tubulações de água... Se a situação na escola já era ruim, conseguiu ficar ainda pior.

Agora, imaginem a quantidade de secreção que a tromba de um elefante resfriado é capaz de produzir. A cena seguinte não foi nada bonita de se ver.

— Aaaahhh... Aaaahhhh... Aaaahhh... FUÓÓÓÓ...!!!

Os alunos começaram a correr pelo pátio, de um lado para o outro, tentando escapar das rajadas de meleca. O elefante rodopiava feito doido, pintando a escola inteira de verde. Até Mário saiu correndo, tomado pelo desespero.

Seu comparsa, Soneca, não teve a mesma agilidade, de modo que acabou escorregando e ficando preso numa poça de meleca grudenta. Bastante irritado, o rapaz encarou Paçoca com um olhar assassino, certo de que tudo o que estava acontecendo ali era culpa dele e do estranho invento que ele usava na cabeça. No auge de sua raiva, Soneca moveu os lábios, num esforço sobrehumano. Fez que produziria algum som, mas nada saiu. Tentou de novo. Nada. Até Pastilha ficou curiosa em ouvir o que aquele imbecil teria a dizer, já que nunca abria a boca, a não ser para bocejar.

Por fim, Soneca fechou a cara, respirou fundo e falou:

— Su-su-sua ba-ba-ba...

O rapaz interrompeu a frase e respirou mais uma vez, tentando controlar a gagueira. A mesma que sempre se viu obrigado a disfarçar na escola, com medo de ser zoado pelos próprios colegas.

— Su-sua *BA-BA-BALEIA!*

ZAAAP!

Dessa vez Pastilha e Paçoca não tiveram a menor curiosidade de ficar ali esperando para ver o que iria acontecer. Saíram correndo, horrorizados, enquanto um mar de carne e pele se expandia bem atrás deles. Por fim, se viram empurrados para a frente, jogados para muito longe por algo que sequer conseguiram ver o que era.

Caíram bem aos pés de um trio que fez o sangue de ambos gelar assim que ergueram os olhos: eram o diretor Roger, o professor Pedro e a professora Lurdes, ainda vestida de gatinha, mas já despida da peruca e do sombrero.

— Roger, toda essa loucura é culpa desses dois aí! — berrou a velha senhora, apontando para o pequeno inventor e sua amiga. — Não sei como, mas foram eles que fizeram a escola virar esse verdadeiro inferno e...

A professora e o diretor arregalaram os olhos – na verdade, parecia mais que seus globos oculares estavam prestes a saltar das órbitas. Roger levou as mãos ao peito ao ver uma monstruosa baleia encalhada ocupando quase toda a área do pátio de sua escola, chegando a espremer alguns dos estudantes contra as paredes. Pedro o amparou, pois tinha certeza de que seu chefe estava prestes a enfartar.

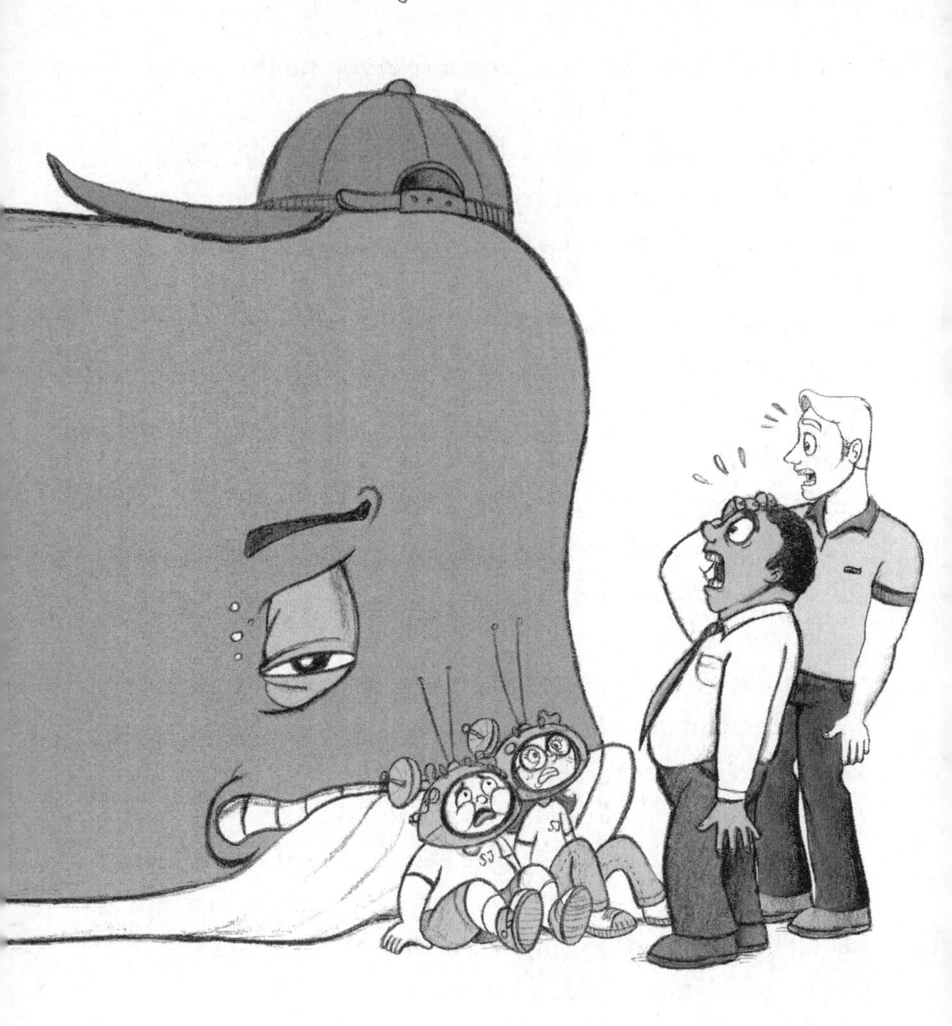

— Diretor, que bom ver o senhor por aqui! Eu peguei esses cinco tentando escapar de fininho da escola — delatou o inspetor, trazendo Pimenta e Pinguim pelas orelhas, enquanto o burrico Piolho lhe mordia as calças na tentativa de livrar seus amigos. — Agora dá só uma olhada na bruxaria que aconteceu com essas duas meninas! E tá vendo esse burro aqui atrás, mordendo a minha bunda? É um deles! É o sinal dos tempos, diretor! É hoje o dia do juízo final!

Roger começou a suar frio ao ver o estado das jovens que os dois rapazes carregavam nos braços: Princesa alucinava, sem dizer coisa com coisa; já Peteca parecia um monstro com aquele cabeção gigante e gorducho. Mas o golpe mais forte foi ver um burro com características físicas que lembravam as de Piolho. Nessa hora, o diretor só fez pensar no que iria dizer aos pais de todos aqueles jovens. Teve certeza de que, no mínimo, acabaria falido. No pior cenário, terminaria atrás das grades.

— Pessoal, vamos tentar ser racionais — falou o professor Pedro, trêmulo. — Temos que manter a calma e colocar a segurança das crianças em primeiro lugar; depois pensamos em apontar os culpados.

— É isso aí, professor! — gritou Pastilha, feliz por identificar alguém que talvez pudesse ajudá-los. — A primeira coisa a ser feita é arrancar esses capacetes das nossas cabeças...

— Por quê? O que eles fazem?

— O Paçoca inventou essa geringonça pra fazer a gente parar de sofrer *bullying* aqui na escola. Só que a coisa fugiu ao controle! Se alguém xinga um de nós dois... Já era: a pessoa vira exatamente aquilo que disse que a gente é. Só que a transformação é ao pé da letra...

— A gente já fez de tudo pra arrancar essas paradas da cabeça deles, Pedro. Só que não sai de jeito nenhum! — esclareceu Pimenta.

— Então a primeira coisa a fazer é afastar vocês dois dos demais alunos. Venham comigo.

O professor Pedro liderou o grupo até a secretaria. Não era um caminho fácil de se percorrer: precisaram pular o rabo de uma baleia encalhada – que resolvera começar a espirrar água em todo mundo –, desviar de um elefante muito gripado, saltar sobre alunos prostrados no chão e percorrer uma cantina tomada por gordinhos famintos, que, assim que avistaram um suculento burrico correndo pelo pátio, vieram atacá-lo, de modo que Piolho precisou distribuir alguns coices para se livrar dos comilões.

— Ninguém aqui vai comer hambúrguer de burro no lanche hoje! Ih, óh!

— Plínio, se eu chamar seus pais aqui na escola, você acha que eles conseguem reverter essa situação insana? — quis saber o diretor, enquanto corriam.

— Sim, senhor. Por favor, chama eles aqui, e rápido! — Paçoca sentiu um profundo alívio ao ouvir aquela sugestão. — E diretor...

— O que é?

— Me perdoa p-por tudo isso... Eu n-não fiz por mal. Eu juro!

O menino intensificou os pedidos de perdão assim que entraram na sala do diretor. Roger olhou para o jovem e se ajoelhou para ficar da altura dele. Respirando fundo, falou:

— Meu querido, não fique assim. A culpa do que está havendo aqui não é só sua, é minha também. Negligenciei o que vem acontecendo nessa escola por tempo demais. Demorei a tomar uma atitude e, com isso, fiz o mais inteligente de meus alunos entrar em pânico, levando-o a achar que a única opção que lhe restava era se defender com suas próprias armas. E pior: ao suspender o Mário e a patota dele só consegui fazer com que ficassem com mais raiva ainda de você. A solução para eles precisa ser outra.

Paçoca engoliu em seco. Não esperava ouvir aquelas palavras do diretor. Era como se um peso enorme tivesse acabado de ser retirado de seus ombros. Mais calmo, o menino fez uma promessa:

— Conte comigo pra consertar todos esses estragos, diretor.

— Disso, eu tenho certeza. E digo mais: os seus pais não serão os únicos a serem chamados à escola hoje. Os pais do Mário precisam ver com os próprios olhos o que as atitudes do filho deles causaram a todos nós.

A professora Lurdes bufou. Não soube disfarçar seu desgosto diante daquele perdão. O aluno que a havia ridicularizado diante de toda a escola merecia ser severamente punido! Contudo, guardou sua opinião para si, com medo de aborrecer seu patrão.

Capítulo 15

Sentimento de Culpa

O diretor Roger se apressou em fazer diversas ligações. Primeiro chamou os bombeiros para que ajudassem a controlar a situação. Em seguida, ligou para a mãe de Paçoca, cuja voz todos os que estavam em sua sala puderam escutar claramente graças aos berros que ela deu ao ser informada sobre os acontecimentos envolvendo seu filho. Telefonou também para a mãe de Mário e exigiu que ela viesse o quanto antes com o marido, mesmo após ela ter lhe dito que o pai do garoto dificilmente poderia comparecer pois estava no meio de uma importante reunião de negócios. O diretor precisou jogar pesado, e insistiu que se o marido dela não comparecesse, o filho deles poderia ser expulso da escola naquele mesmo dia.

O professor Pedro foi até o pátio e reuniu colegas, funcionários e alunos que não haviam sido atingidos pelo raio antibullying para lhes passar algumas instruções. Aos poucos, o professor e um grande número de voluntários se puseram a ajudar os jovens afetados. Levaram os que estavam doentes para a enfermaria, que ficou absurdamente lotada. Dividiram os que haviam se tornado obesos e os espalharam por cinco salas de aula, deixando funcionários montando guarda em cada uma delas para que nenhum aluno tentasse escapar para ir atrás de comida. A garota que virara um balão permaneceu amarrada no mesmo lugar, implorando por ajuda.

Pastilha deu um grito ao ver uma funcionária prestes a jogar um bolo fora, alertando-a de que aquele bolo era também uma das alunas atingidas pelo raio. Ao ouvir aquilo, a mulher desmaiou e também precisou ser socorrida. A menina tratou de levar o bolo para a secretaria e o deixou sobre a mesa do diretor, sob os cuidados dele.

Não havia muito o que os professores pudessem fazer com o elefante Meleca e a baleia Soneca. Alguns sugeriram ligar para um zoológico, outros, para um aquário, mas ao serem lembrados de que aqueles animais eram, na verdade, alunos da escola, desistiram da ideia.

— Por mim podiam levar os dois prum circo! Não iam fazer a menor falta aqui na escola... Ih, óh!

Piolho, o burro, acompanhava a toda essa movimentação ao lado de Paçoca, Pimenta, Pinguim e Pastilha. Os cinco estavam sentados em um dos poucos bancos do pátio que continuavam inteiros. Princesa e Peteca não estavam com eles, pois haviam sido levadas para a enfermaria.

— Acho que nunca vou me perdoar pelo que aconteceu hoje na escola — lamentou o menino inventor.

— Qual é, cara, a culpa disso tudo não foi sua... Foi do Mário!

— Ah, Pimenta... Eu sei que ele me forçou a reagir, mas ao invés de atingir apenas a gangue dele, acabei causando mal a um monte de gente. Olha só o que eu fiz com os meus próprios amigos! Imagina só se eu e o meu pai não conseguirmos desfazer essa lambança toda? A Princesa vai continuar louca pra sempre? A cabeça da Peteca não vai voltar ao tamanho normal? E o Piolho? Vai continuar burro?

— Olha, nem que tivesse aulas de reforço com Einstein meu irmão ia deixar de ser burro — observou Pinguim, arrancando muitas risadas dos colegas.

— Ih, óóóh! Puxa, como você é engraçado, maninho! — reclamou o burrico. — E ai de você se não me fizer voltar ao normal, Paçoca. Vou te dar tanto coice que você vai desejar nunca ter nascido. Ih, óh!

— Ah, mas aí é que está — falou Pastilha, lançando um olhar bem sério para Piolho. — Você só virou burro porque ofendeu o Paçoca. A invenção dele só deu o troco em quem nos atacou primeiro.

— A Ju tá certa — concordou Pimenta. — Eu respeitei os dois e nada aconteceu comigo. Mas quem xingou, tomou.

— Mas eu só tava brincando quando chamei ele de burro! Logo quem, né? Amigo que é amigo brinca de se xingar, poxa... Ih, óh!

— É fato que a zoação faz parte de qualquer amizade — disse Pinguim, pensativo. — Mas é que, hoje em dia, virou moda ofender quem a gente mal conhece... A gente se irrita com alguma coisinha que o outro fez e já sai logo xingando, sem sequer parar pra pensar no que tá fazendo. Não é à toa que a toda hora tem gente brigando na rua, no trânsito, no trabalho... Sempre pelos motivos mais idiotas!

Paçoca refletiu sobre as palavras do amigo.

— Acho que vocês têm razão; acabou que a minha máquina só causou todo esse estrago por causa disso mesmo que vocês falaram: é muito mais fácil xingar do que tentar se colocar no lugar do outro. A responsabilidade de tudo o que aconteceu hoje pode até ser minha, mas cada um dos afetados também teve a sua parcela de culpa...

— E eu garanto que eles vão pensar duas vezes antes de te xingar de novo. Ou a qualquer outra pessoa.

O menino inventor sorriu para Pinguim e lhe deu um abraço. Pastilha se uniu a esse gesto, puxando também a Pimenta.

— Ah, eu também quero! Abraço de burroooo! Ih, óóóóóóh!!!

Piolho se atirou sobre os amigos de maneira desastrosa, derrubando a todos no chão.

— Ai, credo, mas que fedor! Sai de cima da gente, Piolho! Virar burro potencializou o seu mau cheiro...

— Ah, Pastilha, sua...

— Olha lá, hein, Piolho? — alertou Pimenta, cobrindo o focinho do amigo com a mão. — Controla essa sua língua afiada ou vai acabar virando coisa ainda pior. Já esqueceu que a Ju também tá usando o capacete antibullying?

Todos caíram na gargalhada. O momento de descontração só foi interrompido quando os jovens viram os pais de Paçoca entrando na escola. O menino saiu correndo para falar com eles e se emocionou ao lhes pedir perdão pelo que havia aprontado. Implorou para que ambos o ajudassem a inverter os efeitos do raio indutor reorganizador de átomos e só se acalmou quando o pai lhe prometeu que dariam um jeito de consertar tudo aquilo trabalhando juntos. Pai e filho se abraçaram e logo começaram a discutir complexas teorias sobre como reverter os efeitos da máquina antibullying.

Dali a pouco o tempo fechou de vez: os pais de Mário chegaram ao Colégio São João aos berros. Murilo Moltoricco foi logo exigindo saber o que estava acontecendo, onde estava seu filho, ameaçando processar a escola se algo tivesse acontecido a ele. Lembrou que tivera de sair no meio de um importante compromisso, e que só fizera isso porque sua mulher praticamente o havia arrancado de dentro do escritório para levá-lo até ali.

Mário, que tratara de sumir de vista no auge da confusão, finalmente voltou a dar as caras no pátio, exibindo um semblante cabisbaixo. Era sempre muito fácil notar como ele se tornava outra pessoa na presença do pai: perdia a pose de mau e fazia cara de pobre coitado. No começo, Pastilha achava que o valentão fazia isso para disfarçar suas traquinagens, querendo posar de bom moço para os pais. No entanto, cada vez mais ela se convencia de que não era exatamente esse o caso. Começava a desconfiar de que Mário, na verdade, morria de medo do pai. E a ausência de seus dois únicos amigos – um transformado em elefante e o outro numa baleia – só parecia deixar o rapaz ainda mais acuado.

O diretor Roger veio receber os pais dos alunos e solicitou que todos o acompanhassem até sua sala. Convocou também Mário e Paçoca para a conversa. Os dois trocaram olhares desconfiados, mas obedeceram.

A professora Lurdes, que chegou até ali acompanhando o diretor, se ofereceu para fazer companhia aos jovens no pátio, gesto que surpreendeu os membros da Página Pirata. Na verdade, eles prefeririam mil vezes ficar sozinhos numa ilha deserta com uma tribo de canibais do que com ela. Mas optaram por sorrir para a velha senhora, mostrando-se cordiais.

Passado algum tempo, a professora resolver puxar assunto:

— Eu me pergunto o que será que o diretor está conversando com os pais desses meninos.

— Na certa ele quer colocar os dois frente à frente pra mostrar pros pais do Mário o filho imbecil que eles criaram — desabafou Pastilha.

— Hein? Como é...? — dona Lurdes arregalou os olhos, contrariada. — Isso lá são modos de falar, mocinha? Saibam que o amigo de vocês também não é nada fácil! Onde já se viu fazer da própria escola palco de seus experimentos inconsequentes... Ser um geniozinho não dá direito a ele de nos colocar em risco.

— E ser filhinho de papai também não dá direito ao Mário de humilhar e bater nos outros!

— Escuta aqui, menina: você sabe quem é o pai dele, não sabe? É um empresário inteligente e muito rico que...

— Olha, dona Lurdes, sinceramente não me interessa quem o pai dele é ou deixa de ser. Só sei que a relação dele com o filho me parece ser super mal resolvida, cheia de cobranças pro garoto ficar igual a ele, sendo que o homem é um poço de maus exemplos. Talvez se o sujeito tivesse pela família o mesmo amor que tem pelo dinheiro, o filho dele fosse um cara legal. Mas com um pai daqueles, fica meio difícil mesmo...

Os meninos acompanhavam a discussão sem nem lembrar direito como ela havia começado; só sabiam que, por alguma razão bizarra, a professora de Geografia defendia a família de Mário com unhas e dentes. Pastilha se exaltava cada vez mais, quase sem conseguir acreditar no que ouvia sair da boca da mulher.

— Você está julgando o Mário de maneira errada, Juliana. Eu fui professora dele por três anos e afirmo que nunca tive problemas em sala de aula com ele. Muito pelo contrário: ele é um aluno inteligente e aplicado aos estudos. Sabia a minha matéria como ninguém!

— O Mário, inteligente? A senhora tá brincando, né? — disse Pinguim, surpreso. — Ele e aqueles amigos dele são três toupeiras, todo mundo na escola sabe disso.

— Ah, pois ele me tratava muito bem durante as minhas aulas, sabia? Me trazia presentes, me ajudava a carregar o material da sala dos professores até a sala de aula... Era um verdadeiro lorde!

— E a senhora caía nessa, dona Lurdes? — riu Pimenta. — O Mário é um baita de um puxa-saco de professor. É assim que ele tenta garantir as notas dele.

— E tem mais: sabe essa coisa aí que a senhora falou dele se oferecer pra carregar material de professor até a sala de aula? Tudo cena! Já pegaram ele fazendo isso pra pegar gabarito de prova escondido! Fico até admirada da senhora não saber disso... Esse Mário só apronta!

Dona Lurdes olhou para Pastilha com uma expressão de horror. Não podia aceitar a acusação que a jovem fazia: de que o único aluno em toda aquela escola que já se ofereceu para ajudá-la o fez tão somente por interesse. Logo ele que era sempre tão prestativo e atencioso com ela!

— Não pode ser... Não pode ser...

A professora tinha o olhar vago, balançando a cabeça numa negativa.

— Ah, qual é, dona Lurdes? Pode perguntar pra qualquer colega seu, eles vão confirmar essa história: o Mário roubava as respostas das provas e passava pros capangas dele. Uma das primeiras suspensões que ele pegou foi justamente quando flagraram ele com o gabarito na mão, a senhora não se lembra?

— V-você mente...

Transtornada, a professora de Geografia repassava as cenas em sua mente como se assistisse a um filme. Lembrou das muitas maçãs deliciosas que Mário trazia para ela. Lembrou das vezes em que ele segurou a porta da sala para ela poder entrar, toda carregada de material. Lembrou das notas excelentes que ele tirava com ela; eram suas melhores notas, as de Geografia. Certamente não eram porque ele copiava o gabarito, não podia ser! Lembrou das diferentes lembrancinhas que ele trazia para ela de diferentes lugares do mundo sempre que viajava de férias com a família: miniaturas do Big Ben, da Estátua da Liberdade, da Torre Eiffel, do Coliseu, das Pirâmides do Egito, do Taj Mahal... Todas aquelas coisinhas lindas que a família do rapaz lhe mandava e que iam direto para a coleção que enfeitava a estante de sua sala. Ninguém mais naquela escola lhe reservava tamanho carinho; somente a família do Mário.

— A senhora pode até não querer acreditar, mas que é verdade, é — afirmou Pastilha, com todas as letras. — E tem mais: além de ter sido pego roubando gabarito de prova, o Mário já tomou advertência também porque ficava dando presentinhos pros professores pra depois ficar cobrando nota boa. Já teve caso do pai dele mandar até caixa de bombons finos caríssimos pra uma professora, com um bilhetinho dentro dizendo que aquilo era pra ela lembrar do filho dele quando fosse corrigir a prova. É mole? A professora achou aquilo um desaforo tão grande que tratou de denunciar o pai dele pro diretor. Nossa, isso deu a maior confusão, não é possível que a senhora não se lembre!

— Não pode ser... — a professora tremia, como se estivesse prestes a perder o controle. — O Mário sempre foi tão bonzinho comigo... O único aluno que me tratava com respeito em sala de aula...

— Ah, me desculpe a sinceridade... Mas ele só fazia isso por interesse.

— Cale-se, menina!

— Ei, veja lá como fala comig...

— Eu falo com você do jeito que eu bem entender, ouviu bem? Você é... Você é um *MONSTRO*, sabia? Uma *MONSTRUOSIDADE TERRÍVEL, MALVADA e SEM CORAÇÃO!!!*

ZAAAP!

— Oh-oh... — falou Pimenta, enquanto movia os olhos lentamente para o alto, acompanhando o crescimento da coisa responsável por projetar uma enorme sombra sobre ele e seus amigos e que, em questão de poucos segundos, encobriu quase todo o pátio da escola.

— Tá — disse Pinguim. — Essa é a hora em que a gente sai correndo.

— UUUUAAAARRRRRRRRGGGGHHHHHH!!!

Capítulo 16

Caindo em Mãos Erradas

Na sala da diretoria, Roger conversava com os pais dos principais envolvidos na confusão ocorrida em sua escola. Não estava sendo uma conversa fácil, já que o pai de Mário não aceitava as acusações que eram dirigidas a seu filho.

— Vejam bem, o que estou tentando fazer ao chamar as duas famílias aqui é viabilizar o diálogo — esclareceu o diretor. — Faço isso porque, mesmo após a medida disciplinar que apliquei ao Mário na semana passada, ele hoje voltou a apresentar um comportamento hostil contra seus colegas. E eu me pergunto: o que é que está havendo aqui? O que posso fazer para ajudar? Para mim, seria muito mais fácil simplesmente expulsá-lo da minha escola, mas eu acredito que, com um bom diálogo, a gente vai conseg...

— Diálogo? Bah, não me faça rir! — ironizou Murilo Moltoricco. — Sabe o quanto de dinheiro eu estou perdendo nesse exato instante, deixando meus negócios de lado pra vir até essa porcaria de escola perder o meu tempo? Sinceramente, eu não entendo porque a presença da minha mulher aqui não seria o bastante...

— Acontece, meu caro, que é o futuro do seu filho que estamos tratando aqui. Por isso a presença de ambos é importante, pois somente assim nós...

— O futuro do meu filho? E o que é que você tem com isso, Roger? O futuro dele já está traçado: ele vai assumir uma das diretorias da minha companhia. Já está tudo acertado.

— Mas eu já te disse que não quero trabalhar lá! — explodiu Mário, sem conseguir olhar para o pai de tanta raiva que sentia. — Eu quero montar uma banda e tocar bateria!

O pai do rapaz se levantou e fez que ia bater nele, mas foi detido pelo brado poderoso de Roger:

— NÃO SE ATREVA A TOCAR NO SEU FILHO!

Moltoricco dirigiu um olhar perplexo ao diretor; ninguém jamais se atrevera a falar com ele naquele tom antes. Roger não se deixou intimidar:

— Escute aqui, Murilo, eu abomino o uso de violência, especialmente contra um adolescente e pior ainda partindo de um pai contra seu próprio filho. Se o senhor não se acalmar, essa nossa conversa se encerrará aqui e continuará na delegacia. É isso o que quer?

O empresário se calou e voltou a se sentar, em meio a resmungos. Sua mulher lhe pediu calma, mas ele a repreendeu com um olhar fulminante.

— Onde estávamos mesmo? — quis saber Roger. — Ah, sim, estávamos falando sobre o futuro do seu filho. O senhor pode até já estar com o destino dele traçado em sua cabeça, mas a verdade é que aqui, no mundo real, ele vem enfrentando sérios problemas de relacionamento com seus colegas de escola. Por exemplo: será que era de seu conhecimento que ele pratica *bullying* no colégio, ou só soube disso quando ele foi suspenso na semana passada?

— *Bullying*? — Moltoricco achou graça. — Escuta aqui, "seu" diretor: a verdade é que o meu filho é muito macho pra essa sua escola, entende? O que vocês chamam de "bullying" é uma coisa que qualquer homem que honra as calças que veste acha engraçado fazer contra menininho que não sabe se impor...

— Ora, seu... Seu... Veja lá como fala do meu garoto!!!

O pai de Paçoca precisou ser acalmado pela esposa e pelo filho. O milionário achou graça daquela reação e desafiou o pesquisador:

— Não acha mesmo que um frangote feito você tem qualquer chance contra mim, acha? Além de ser um empresário muito bem sucedido, sou também faixa preta de karatê. Acabo com você em dois tempos, seu nerd!

— Nota-se que o seu filho teve bem a quem puxar — disse a mãe de Paçoca, revoltada. — É uma pena. Parece que poderia ser um bom rapaz, não fosse filho de quem é...

— Ah, cala essa boca, feiosa. Aproveita e vê se vai lavar uma roupa...

— Ei, vê lá como o senhor fala com a minha mãe!

Moltoricco olhou para Paçoca e soltou uma gargalhada bem alta e irritante ao analisar melhor o bizarro capacete que o menino usava na cabeça.

— Não é à toa que o meu filho te persegue, guri. São crianças como você que fazem da escola uma experiência divertida... Lembro quando eu era da idade de vocês; eu também aprontava com uns garotos bem frangotes. Todo dia roubava o lanche de algum deles. Era muito divertido!

— Isso não tem nada de divertido! — falou Paçoca, irritado. — Você devia era ter vergonha de fazer isso com os outros...

— Vergonha? Eu tenho é orgulho! Um garoto feito você merece sofrer *bullying* na escola, seu... seu *BEBEZÃO!*

ZAAAP!

— PAAAI?!? — gritou Mário ao ver um raio sair do capacete do menino inventor e atingir o empresário em cheio.

Paçoca e seus pais bem que tentaram, mas não conseguiram segurar o riso ao verem aquele homem tão arrogante usando fraldas e chupando chupeta. Dali a pouco, Moltoricco começou a encolher, virando um bebezinho muito esquisito, com cara de adulto enfezado.

— Gu-gu-dá-dá! O que... O que aconteceu comigo?

— Isso é culpa dessa geringonça na cabeça desse *GOR*... d-digo, desse garoto, pai! — acusou Mário, transtornado, lembrando de escolher bem as palavras ao se dirigir a Paçoca. — Qualquer um que xingar ele vai se transformar no xingamento...

— Gu-gu?!? C-como assim? — quis saber o neném com cara de vilão.

— Ué... o senhor não chamou ele de "bebezão"? Então: virou um!

Os olhos do empresário brilharam diante daquela descoberta.

— Quer dizer então... Que se eu usar esse capacete, meus inimigos irão se transformar naquilo que falarem de mim, é isso?

— É mais ou menos por aí... Um baita perigo, né?

Moltoricco tinha agora o olhar perdido, enxergando um mar de possibilidades mesquinhas para a máquina antibullying. Afinal, se havia uma coisa que aquele homem tinha mais em sua vida do que dinheiro eram inimigos. Sua coleção de desafetos era enorme: milionários donos de empresas de transporte concorrentes, familiares interesseiros que só queriam seu dinheiro, empregados ingratos que falavam mal dele pelas costas, políticos moralistas que se recusavam a aceitar seu dinheiro em troca de favores, ambientalistas que o acusavam de poluir o meio ambiente com sua frota de ônibus e caminhões desregulados, e, acima de tudo, os jornalistas, que viviam publicando matérias que arranhavam a imagem de sua companhia, associando-a a práticas de mercado desleais e a manobras políticas para conseguir benefícios junto ao governo. O empresário considerava a maioria dessas pessoas um mero bando de invejosos fracassados de visão limitada.

Muitos, porém, eram antigos rivais, que nunca se intimidavam em lhe apontar dedos na cara, lançando ofensas e provocações que viviam arranhando sua imagem.

Tendo tudo isso em mente, o pai de Mário vislumbrava aquele estranho invento como a oportunidade perfeita para dar uma bela lição em seus maiores oponentes, se possível, humilhando-os publicamente.

— Não há nada a temer, pessoal! — informou o pai de Paçoca, abrindo a maleta que sempre carregava consigo, da qual retirou algumas ferramentas. — Eu acho que já sei como reverter os efeitos desse aparelho, esperem só um minutinho...

O cientista se posicionou diante de Paçoca e se pôs a apertar e a desapertar parafusos, remover e recolocar engrenagens, e a fazer algumas regulagens na máquina antibullying. Todos os que se encontravam na diretoria acompanharam seu trabalho com grande curiosidade. Em menos de cinco minutos o homem informou aos demais:

— Pronto! Isso deve arrumar as coisas... O raio indutor reorganizador de átomos agora é apenas um raio organizador de átomos. Pelas minhas teorias, basta apontar esta antena em direção ao alvo, apertar esse botão aqui e...

ZAAAP!

O raio atingiu Murilo Moltoricco, de modo que o corpo do bebê cresceu até dar lugar ao costumeiro porte atlético do rico empresário.

— Pai, você é demais! — comemorou Paçoca. — Com esse novo invento vamos conseguir salvar a escola toda! E a minha pele também...

— Essa máquina... Ela é incrível! Formidável! — o pai de Mário encarava o capacete com um brilho muito estranho no olhar.

— Não, essa coisa não tem nada de incrível, muito menos de formidável — lamentou o cientista. — Preciso destruir essa máquina o quanto antes. Ela é muito perigosa!

— Destruir? — assombrou-se Moltoricco. — Não, não, de jeito nenhum! Eu quero comprá-la. Essa máquina é perfeita para os meus objetivos, mas quero ela naquela versão que transforma os outros, não nessa que corrige. Preciso que a modifique de volta — o empresário puxou a carteira do bolso do paletó para apanhar um cheque. — Quanto quer por ela? Um milhão de reais? Dois milhões?

— Lamento, Murilo, mas essa invenção não passa de um grande erro do meu filho e não está à venda.

— Tudo está à venda. Anda, diga de uma vez: qual é o preço? Dez milhões? Vinte?

— Já disse que essa coisa não está à venda.

Os pais dos dois garotos se estranharam.

— Pois bem: saibam que aquilo que eu não posso comprar, eu pego!

Moltoricco meteu a mão no capacete e o puxou, porém notou que a coisa estava grudada à cabeça do menino. O empresário puxou com ainda mais força, ignorando os gritos de dor de Paçoca. O cientista precisou intervir, empurrando aquele homem inescrupuloso para bem longe de seu filho. Foi então que os dois homens começaram a se atracar. O diretor Roger resolveu intervir colocando-se no meio dos dois, porém não teve muito sucesso em parar com aquela briga.

Súbito, um URRO aterrador se fez ouvir, vindo do pátio da escola. Um segundo rugido se seguiu, soando ainda mais inumano que o anterior, fazendo o vidro da janela tremer. Aquele som certamente fora escutado a muitos quilômetros dali.

Todos os que estavam na sala da diretoria congelaram de medo. Passado o susto inicial, correram até a janela, e o que viram dali jamais se apagaria de suas mentes.

Bem no meio da escola havia um réptil gigante que mais se parecia com um dinossauro. A criatura tinha quase dez metros de altura e espalhava o terror entre estudantes e professores, que corriam de um lado ao outro à procura de abrigo. O mais curioso, contudo, era que o mostro usava óculos fundo de garrafa e guardava uma enorme semelhança com a velha professora Lurdes.

— N-não acredito... — murmurou o diretor, aterrorizado.

— Mas o q-que diabos é essa coisa?!?

Como se em resposta à pergunta feita por Mário, a porta da diretoria se abriu com violência. Entraram na sala o professor Pedro, o inspetor Raimundo, Pimenta, Pinguim e Pastilha, exasperados. O burrico Piolho entrou por último, por ter enfrentado dificuldades para subir todos os lances de escada do prédio com seus cascos.

— Essa coisa aí fora é a professora Lurdes, gente! — explicou Juliana, quase sem fôlego. — Ela foi inventar de me xingar de m-monstro e aí... virou um!

A informação caiu como uma bomba no diretor, que precisou ser amparado pelo pai de Paçoca para não desmaiar.

— É isso mesmo, ela virou a prima pobre do Godzilla! Ih, óh! É a Lurdzilla! — completou Piolho, cujas patas de burro tremiam tanto que seus cascos batiam no chão como num espetáculo de sapateado.

— Espera aí... — disse Moltoricco, apontando para Pastilha. — Quer dizer então que tem mais de uma dessas máquinas que transformam as pessoas, é?

— Isso não importa! — protestou Paçoca, olhando feio para o empresário. — O que importa é que o meu pai reverteu os efeitos da máquina antibullying. Venham comigo, precisamos chegar perto da Lurdzill... Digo, da professora Lurdes!

— Ai, que horror!!! Ela agarrou o Soneca! Olha lá, gente!!!

Pastilha pôs a cabeça para fora da janela e apontou para o pátio. Lurdzilla mordia o rabo da baleia que jazia estirada exatamente sobre o local onde os meninos gostavam de jogar futebol na hora do intervalo. Soneca, o aluno transformado em cetáceo, não titubeou diante daquele ataque: tratou de esguichar um jato fortíssimo de água na professora transformada em monstro de filme japonês. Lurdzilla ficou ainda mais irritada, largou a baleia e correu rumo ao portão de entrada do colégio.

— Essa não... Não podemos deixar que a Lurdes escape ou ela vai destruir a cidade inteira! — alertou Paçoca.

Todos acompanhavam a movimentação da fera, exceto Murilo Moltoricco, que falava discretamente ao celular. Aquilo não passou despercebido aos ouvidos sempre atentos de Pinguim, que desejava apenas que todos ali parassem de gritar para que pudesse escutar melhor.

— É melhor a gente correr! — disse Pimenta. — Olha lá, ela já tá quase derrubando os portões do colégio!

Todos saíram correndo da sala do diretor e desceram até o pátio. Era possível ver que alunos e funcionários continuavam em seus esconderijos, temendo a fúria implacável de Lurdzilla. Muitos deles gritaram para os membros da Página

Pirata, pedindo que eles voltassem para o prédio de onde saíram e buscassem abrigo. O diretor Roger, o professor Pedro e os pais de Mário e Paçoca também estavam ali, mas nenhum deles fazia ideia do que fazer para impedir que aquela fera escapasse da escola.

Foi nesse instante que um garoto transformado em burro decidiu fazer jus à sua nova condição. Sim, porque o limiar entre a coragem e a burrice é um tanto tênue. E o que Piolho resolveu fazer... Bem... Não foi algo lá muito esperto.

Ele resolveu correr até o monstro e se pôs a gritar, ordenando que a professora parasse de tentar derrubar os portões da escola – o que, diga-se de passagem, ela já estava quase conseguindo fazer.

Só que os gritos do burrico e nada eram a mesma coisa para Lurdzilla.

Piolho olhou para o rabo do monstro balançando pra lá e pra cá e resolveu apelar. Correu até ele e tascou-lhe uma bela dentada.

O urro que a fera soltou foi tão forte que o deslocamento de ar serviu para derrubar o restante do portão. Só que a monstruosidade pareceu ter mudado de ideia: não queria mais deixar a escola; queria era devorar quem quer que tivesse tido a ousadia de morder-lhe a cauda.

Piolho percebeu tarde demais que Lurdzilla queria fazer dele um lanche bem gostoso. O burro bem que tentou correr, mas, para seu terror, seus cascos escorregavam no piso do pátio, de modo que ele não conseguia sair do lugar. E, subitamente, tudo ficou escuro quando as mandíbulas do monstro se fecharam ao redor dele.

Pastilha soltou um grito estridente.

Pimenta achou que era por ela ter visto seu amigo Piolho ser engolido por um monstro-réptil gigante. Mas não.

A menina havia gritado pois acabara de ser levada à força por Murilo Moltoricco, que corria com ela de volta ao prédio principal do Colégio São João. Ouviram o som de um helicóptero se tornar cada vez mais próximo, até constatarem que a aeronave já estava prestes a pousar no terraço do edifício mais alto da escola.

— O pai do Mário tá sequestrando a Pastilha! — alertou Pinguim, em pânico. — Eu ouvi quando ele chamou um helicóptero pra levar ele daqui. Só não imaginei que era pra isso!

— Mas o que foi que deu nesse sujeito? — quis saber o professor Pedro.

— Moltoricco quer a máquina antibullying a qualquer preço! — informou o pai de Paçoca. — Aquele louco deve ter algum plano mesquinho em mente...

Pimenta se viu, então, num impasse: não sabia se corria para tentar ajudar o amigo engolido por um monstro gigante ou se ia atrás da amiga levada por um empresário lunático.

— Vai atrás da Ju, Pimenta — determinou Paçoca, soando confiante. — Desse monstrengo aí cuido eu! É o mínimo que eu posso fazer depois de todo o mal que causei...

O rapaz lançou um olhar surpreso para o amigo inventor. Então saiu correndo, levando consigo o professor Pedro e o diretor Roger. Mário e sua mãe os seguiram, desesperados. Os cinco subiram o prédio principal da escola atrás de Murilo Moltoricco; os gritos de Pastilha lhes servindo de incentivo para que vencessem os lances de escada na maior velocidade possível.

Ao alcançarem o terraço, viram o helicóptero pousado ali e o empresário puxando a menina para dentro da aeronave. As hélices da máquina atiravam lufadas de vento para todos os lados.

A senhora Moltoricco deu um grito histérico e mandou que o marido parasse com aquela insanidade, mas o homem simplesmente a ignorou.

— Solta a Juliana, seu desgraçado! — ordenou Pimenta, que avançou até eles, mas se viu obrigado a parar ao ver que um capanga do empresário que acabara de saltar do helicóptero lhe apontava uma arma. O professor Pedro agarrou o rapaz e o puxou para longe dali, temendo que ele agisse sem pensar e corresse qualquer risco.

— Pai, para com isso! Solta essa garota, por favor! — pediu Mário, tremendo. — O que foi que deu em você?

O empresário se deteve por um instante e, antes de entrar no helicóptero, disse ao filho: — Estou fazendo isso por você, Mário. Pelo seu futuro!

— Por mim? E desde quando sequestrar uma garota é demonstrar afeto? Eu quero que você solte ela, já!

— Filho, eu não queria levar a garota, somente a máquina antibullying, mas, infelizmente, essa coisa não desgruda de jeito nenhum da cabeça dela. Com esse aparelho aqui eu poderei humilhar meus inimigos, desmoralizá-los um por um, e o caminho estará livre para que eu me torne o homem mais rico do país. Quem sabe, do mundo! Ha, ha, ha, ha!

— Eu não preciso que você seja o homem mais rico do mundo, pai! Eu só quero que você solte ela. Só isso...

Pimenta acompanhava aquela conversa sem conseguir esconder seu desespero. Via que sua amiga se debatia, implorando para que o empresário a deixasse em paz. Foi então que ele observou que, enquanto Moltoricco discutia com seu filho, Pastilha levava a mão à cabeça. Ele notou quando a menina olhou para seu raptor e apertou um botão da máquina antibullying.

O estrondo que se seguiu deixou o rapaz com seus *dreadlocks* de pé.

Capítulo 17

Heróis em Ação

Aterrorizada, Pastilha havia acionado o dispositivo da máquina antibullying que dispara campos de força, o mesmo botão que ela usara antes contra Mário, Meleca e Soneca para mantê-los longe. Ela só não calculara que o efeito do raio, naquela circunstância, seria tão devastador.

Com a força do impacto, o helicóptero deslizou alguns metros ao longo do terraço da escola, arrancando faíscas do piso de cimento. Foi por muito pouco que a aeronave não caiu do prédio, causando um terrível acidente. O capanga de Moltoricco fora arremessado contra a lateral do helicóptero e nocauteado, deixando sua pistola cair no chão. Já o empresário fora lançado para bem longe, despencando do alto do prédio e sumindo de vista, para horror de Mário e sua mãe, que saíram correndo até a beirada do terraço certos de que o homem morrera na queda.

Paçoca e Pinguim faziam tentativas desesperadas de chamar a atenção de Lurdzilla, que se pusera a mascar o pobre do Piolho como se ele fosse um chiclete. Era uma visão perturbadora ver aquela enorme mandíbula cheia de dentes pontudos se abrir e fechar enquanto um burro zurrava feito louco ali dentro, gritando por socorro.

— Me tirem daquiiiii! Ih, óóóóóóh!!!

— Paçoca, você me disse que o seu pai inverteu o efeito da máquina antibullying — lembrou Pinguim, temendo pela vida de seu irmão. — Então atira logo nesse monstrengo e faz a Lurdes voltar ao normal!

— É o que eu pretendo fazer, mas se eu atirar neles com o Piolho dentro da boca dela... Imagina só o que pode acontecer! Corro o risco de matar os dois...

Pinguim deu razão à Paçoca, imaginando uma cena absurdamente grotesca: a professora voltando ao tamanho normal com um aluno enfiado na boca; seu irmão sendo esmigalhado ao mesmo tempo em que a cabeça de dona Lurdes explodia! Tal pensamento fez o sangue do garoto gelar.

— Então a gente precisa fazer a Lurdzilla cuspir o meu irmão primeiro.

— Duvido que a gente consiga, Pinguim. Olha só pra ela, parece estar achando o Piolho uma delícia! Deve estar gostado do futum dele...

O monstro lambia o burrico como se ele fosse um saboroso picolé. Paçoca e Pinguim se puseram a gritar a plenos pulmões para que a criatura largasse seu amigo, mas tudo o que conseguiram com isso foi deixá-la ainda mais irritada. A fera tentou pisoteá-los, de modo que os dois precisaram se afastar do local às pressas.

De repente, um som estrondoso veio do alto, como se fosse uma explosão.

Todos os que estavam no pátio da escola puderam ver faíscas e fumaça saindo do alto do prédio principal do Colégio São João. Viram um helicóptero quase cair lá de cima, o que provocou um princípio de pânico em quem estava ali embaixo. Foram poucos os que perceberam o empresário Murilo Moltoricco sendo arremessado do terraço e despencando para a morte certa. No entanto, para sua sorte, o ricaço havia conseguido se segurar numa bandeira do Brasil presa a um mastro que se projetava da fachada do prédio ao lado, onde estudavam as turmas do ensino médio. Com o peso do empresário, parte da bandeira se rasgou, de modo que ele foi bater contra a parede do edifício, ficando ali pendurado.

— SOCORRO! SOCORROOOO!!! — gritava Moltoricco, balançando as pernas no ar e torcendo para que aquela bandeira aguentasse seu peso pelo maior tempo possível.

Pastilha chorava copiosamente. Suas mãos tremiam, seu cérebro parecia querer explodir de tanta enxaqueca, seu corpo inteiro reclamava de dor, tamanha era a tensão que martelava seus frágeis músculos. O desespero da menina só diminuiu um pouco quando Pimenta veio lhe dar um abraço, perguntando se estava tudo bem com ela. Juliana fez que sim, pois estava nervosa demais para dizer qualquer coisa. Mas a verdade era que a dor que a menina estava sentindo não era nada se comparada ao pânico que crescia dentro de si graças à certeza de que acabara de matar um homem em legítima defesa.

Ao chegarem à borda do terraço, Mário e sua mãe gritaram quando viram Moltoricco pendurado na bandeira nacional, prestes a cair de uma altura de mais de dez metros. O filho do empresário se pôs a berrar e a implorar:

— PAI! SOCORRO! ALGUÉM TIRA ELE DE LÁ!!!

O diretor Roger já estava ligando novamente para os bombeiros, enquanto o professor Pedro gritava para que o empresário mantivesse a calma, informando que o socorro já estava a caminho. Moltoricco se mostrava desesperado, a bandeira na qual estava agarrado rasgando um pouquinho mais a cada minuto que passava.

Alunos, funcionários e professores que estavam nos outros edifícios e também no pátio central acompanhavam, aflitos, ao desespero daquele homem. Paçoca olhou para aquela cena pavorosa e então se virou novamente para o monstro que ainda cismava de fazer de seu amigo Piolho um pirulito sabor fedor-de-burro.

Foi então que o menino inventor teve uma ideia maluca. Para colocá-la em prática, contudo, sabia que precisaria de ajuda.

— Pai, preciso que o senhor ajuste a potência do raio organizador de átomos. Temos que concentrar a ação do disparo numa área menor e torcer para que o meu plano dê certo.

O cientista sequer ousou questionar aquele pedido, achando ter captado as intenções de seu filho. Tratou de fazer alguns ajustes no aparelho, tentando ignorar os muitos gritos de pânico que vinham de todas as direções daquela escola. Em poucos minutos de trabalho, o homem falou:

— Pronto, filho. Feito! Mas o que pretende fazer?

— Improvisar, pai. Improvisar.

Paçoca mandou que Pinguim gritasse o mais alto que conseguisse para chamar a atenção de Lurdzilla, fazendo-a esquecer do coitado do Piolho. Seu amigo obedeceu, levando as mãos à boca, formando uma concha, e soltando o maior berro que já dera na vida:

— Ô, LURDES CARA DE DRAGÃO! VEM CÁ ME PEGAR!

A fera olhou para os dois garotos com ar de total indignação. Tomada pela ira, Lurdzilla soltou um urro ensurdecedor, que gerou uma lufada de ar que quase os derrubou. O menino inventor aproveitou que Piolho saíra momentaneamente da linha de tiro para levar a mão ao capacete e acionar o raio transformador.

— Seja o que Newton quiser...

ZAAAP!

Paçoca efetuou o disparo reparador com a máquina, atingindo em cheio a mandíbula de Lurdzilla. O monstro urrou mais uma vez, mas o som apavorante logo deu lugar a um grito histérico de mulher, que, de tão agudo, fez com que todos na escola levassem as mãos aos ouvidos.

— Eu tô vendo, mas não tô acreditando... — sussurrou Pinguim, estupefato.

Aquela visão era, de longe, a mais perturbadora do dia: graças à sugestão de Paçoca, de reduzir a área afetada pelo raio organizador de átomos, a professora Lurdes voltara ao normal, mas somente do pescoço para cima. O restante de seu corpo continuava monstruoso, verde e coberto de escamas. Mesmo a cauda comprida permanecia no lugar, enfeitando seu traseiro.

A velha senhora surtou ao olhar para si mesma naquele estado. Não foram poucos os alunos que acharam a maior graça daquilo.

Dona Lurdes olhou, então, para o burro fedido que tinha em suas enormes mãos. Notou que o animal estava todo molhado de saliva e que olhava para ela com uma expressão de terror. Foi nesse instante que a professora sentiu todos aqueles pelos grudados em sua língua e um gosto ruim lhe vir à boca. A conclusão era óbvia: ela passara os últimos minutos lambendo aquele burrico fedido, achando-o uma delícia. A ânsia de vômito foi inevitável. Foi preciso que Paçoca interviesse, chamando sua atenção:

— Dona Lurdes, não há tempo pra passar mal agora! Anda, põe o Piolho no chão e me levanta até aí no alto!

— Mas e quanto ao resto do meu corpo?!? O que aconteceu comigo? — a voz da professora soava altíssima, pois, apesar de ter aparência humana, sua cabeça ainda tinha um tamanho proporcional ao corpo gigantesco sobre o qual se encontrava.

— Eu explico depois! Anda, faz logo o que eu pedi, ou vai ficar desse jeito pra sempre!

A criatura metade professora e metade monstro resmungou e fez uma careta contrariada, mas, sem ter outra opção, obedeceu. Pôs Piolho no chão – que tratou de se sacudir feito um cachorro, atirando um monte de baba em seu irmão – e pegou Paçoca, erguendo-o a vários metros do chão, para desespero de seus pais. Pousou, então, o garoto sobre a própria cabeça, atendendo a seu pedido.

— Olha, está vendo aquele homem pendurado naquela bandeira? Temos que salvá-lo! — informou o menino inventor, puxando os cabelos da professora para chamar-lhe a atenção. — Mas vai logo!

O monstro caminhou pelo pátio a passos pesados, fazendo a escola inteira tremer. Os gritos de Moltoricco se tornavam cada vez mais altos; a bandeira estava prestes a se rasgar a qualquer instante.

Lurdzilla avançava pela escola como se fosse um monstro japonês destruindo Tóquio.

Por fim, a bandeira se rasgou.

Moltoricco despencou.

A escola inteira gritou.

Foi quando Paçoca bradou um comando que todos puderam ouvir:

— PEGAAAA!

Ouviu-se, então, um estrondo ensurdecedor.

Uma nuvem de poeira se ergueu.

Fez-se, em seguida, um terrível silêncio.

Aos poucos, gritos foram sendo proferidos. E assovios. E risadas. As pessoas começaram a comemorar e a dar vivas à Paçoca e à professora Lurdes.

A professora-monstro se jogara no chão para agarrar o empresário no ar feito um goleiro que se atira na grama para evitar o gol. Ela e Paçoca haviam salvo a vida de Murilo Moltoricco, que chorava feito uma criancinha em meio àquelas garras afiadas e perigosas.

— Isso foi incrível, dona Lurdes! Já pensou em deixar de dar aulas e entrar para algum time de futebol? — perguntou Paçoca, pulando da cabeça da professora até o chão.

— Cale-se, menino! Agora trate de me fazer voltar ao normal, senão eu...

— Com certeza! Chegou a hora de arrumarmos toda essa confusão.

Capítulo 18

Ajuste de Contas

O pai do menino inventor reajustou a máquina antibullying a pedido do filho, aumentando a potência do raio ao máximo. E foi um tal de ***ZAAAP*** pra cá e ***ZAAAP*** pra lá. E os ***ZAAAPs*** não terminariam até que o último aluno do Colégio São João afetado pela invenção de Paçoca voltasse a ter seus átomos reorganizados à forma original.

Foi assim que dona Lurdes voltou a ser uma senhora invocada, Soneca deixou de ser uma enorme baleia e Meleca um elefante muitíssimo resfriado. Os alunos transformados em gorduchos comilões voltaram ao normal antes que morressem de fome e quem estava passando mal na enfermaria foi curado. Os "quatro-olhos" perderam o par de olhos a mais e puderam respirar aliviados. Piolho deixou de ser burro – ao menos na aparência, como bem observou seu irmão –, Princesa recuperou a sanidade e Peteca teve a cabeça restaurada ao tamanho certo, para alívio e alegria dos demais integrantes da turma da Página Pirata.

Nem mesmo a menina que fora transformada em bolo foi esquecida, graças à boa memória de Pastilha, já recuperada do susto de quase ter sido sequestrada e se sentindo muito aliviada por não ter matado ninguém sem querer. No fim, tudo parecia estar bem, para o alívio de todos. Principalmente do diretor Roger.

— Ai, tudo o que eu queria agora era tirar essa coisa da minha cabeça — lamentou Juliana ao reencontrar seus amigos no pátio. — Será que o seu pai consegue, Paçoca?

— É pra já! — falou o cientista, indo até a menina munido de ferramentas.

— PROCESSO! VOU PROCESSAR ESSA PORCARIA DE ESCOLA!

Todos se voltaram para Murilo Moltoricco, que passara quase meia hora em estado de choque após quase ter morrido. Mário e sua mãe eram os únicos a fazer companhia ao empresário, que aguardava a chegada de uma ambulância para ser levado ao hospital.

O diretor Roger fez cara de poucos amigos e disparou:

— Processar? Você é quem merece ser processado, seu louco! Aliás, processado, não! Deveria era ser preso por tentativa de sequestro! E tem mais: todos os danos causados à minha escola serão pagos por você. Onde já se viu fazer um helicóptero pousar aqui? E, pior, trazer um homem armado para um ambiente cheio de crianças! Nunca vi tanta irresponsabilidade!

— VAMOS VER QUAL DE NÓS DOIS É O IRRESPONSÁVEL NO TRIBUNAL, ROGER! NÃO VOU PAGAR POR COISA ALGUMA! NEM PENSAR!!! — o milionário estava ainda mais agitado agora.

Pastilha respirou aliviada assim que o pai de Paçoca conseguiu soltar a máquina antibullying de sua cabeça, fazendo com que a enxaqueca que estava sentindo passasse imediatamente.

A menina continuou a ouvir atentamente toda aquela discussão entre o empresário e o diretor da escola. Só que, a cada palavra dita por Moltoricco, sua raiva por ele só fazia aumentar. Chegou um momento em que ela simplesmente não pôde mais se segurar, e decidiu ir até ele. Pimenta bem que tentou detê-la ao ver que sua amiga estava decidida a ir tirar satisfação com o ricaço, mas desistiu assim que Juliana lançou-lhe um olhar mortal. O rapaz entendeu que não devia se meter.

— BANDIDO! MAL CARÁTER! TENTOU ME SEQUESTRAR E AINDA DIZ QUE QUER PROCESSAR A ESCOLA? QUE DIREITO ACHA QUE TEM? — gritou Pastilha, com a voz embargada, lutando para não chorar. Ela tinha o dedo apontado na cara do empresário, que achou aquilo um tremendo desaforo.

— GAROTINHA ATREVIDA! SEUS PAIS NÃO TE DERAM EDUCAÇÃO, NÃO? VOCÊ TEM IDEIA DE COM QUEM ESTÁ FALAND...?

— ESTOU FALANDO COM UM CRÁPULA QUE PENSA QUE QUEM TEM DINHEIRO PODE TUDO E ESTÁ ACIMA DA LEI.

Mário precisou segurar o riso ao ver Juliana falando daquele jeito com o pai dele.

— ORA, SUA MOLECA...

— CALA ESSA BOCA QUE EU AINDA NÃO TERMINEI! — Juliana respirou fundo e continuou a falar sem gritar, porém mantendo o tom áspero: — Se você não concordar em pagar os estragos na escola, vou denunciá-lo à policia e à imprensa. Que acha disso, hein? O que não faltam aqui são testemunhas do que o senhor tentou fazer comigo. Imagina só que lindo seria ver os principais jornais e revistas estampando a manchete: "Milionário Murilo Moltoricco pego em tentativa de sequestro de colega de escola de seu filho", ou então: "Moltoricco – O empresário que enlouqueceu". Melhor ainda: "Moltoricco na cadeia. A ruína de um império". Nossa, fiquei até arrepiada agora.

Moltoricco soltou um ruído estranho e investiu contra Pastilha, tentando esganá-la. O diretor Roger e o professor Pedro se lançaram contra o empresário e conseguiram arrancar a menina de seus braços em segurança.

— EU VOU ACABAR COM VOCÊ, SUA FEDELHA! VOU INFERNIZAR A SUA VIDA E A DE SEUS PAIS, NEM QUE PRECISE GASTAR ATÉ O MEU ÚLTIMO CENTAVO NISSO! EU VOU...

— PARA COM ISSO, PAI!

Todas as atenções se voltaram para Mário. O corpulento rapaz tinha os olhos marejados e respirava num ritmo acelerado, como se enfrentar seu pai fosse uma tarefa que exigisse dele um esforço terrível.

— O que... O que você disse, Mário?

— Mandei o senhor parar com todas essas ameaças! Olha só o papel ridículo que está fazendo... Nunca me senti tão envergonhado na vida!

Moltoricco olhava abismado para o filho, sem conseguir acreditar nas palavras que saíam de sua boca. Olhou para a mãe do rapaz, esperando que ela o apoiasse, mas não foi isso o que ela fez. Pelo contrário: a mulher também o encarava com um olhar fulminante de reprovação.

— Vocês dois ficaram loucos, foi? — falou o empresário, revoltado. — Não podem ficar contra mim! Querem perder a boa vida que têm, é? Eu me viro muito bem sem vocês, mas e o contrário? Sem mim vocês não são nada, ouviram bem? NADA!

Mário respirava cada vez mais acelerado, a raiva que estava sentindo lhe consumindo por dentro. O rapaz olhou, então, para seus amigos, Meleca e Soneca, que desviaram o olhar e lhe viraram as costas para tentar esconder os sorrisos que tinham no rosto. Era fácil perceber que ambos morriam de dar risada. O valentão da escola não podia acreditar que seus companheiros estivessem achando graça daquela situação.

— Eu tenho vergonha de você, Mário — continuou o empresário. — VERGONHA! E sabe porquê? Por que você nunca será como eu! Você é um fraco! UM FRACO! NÃO MERECE SER CHAMADO DE MEU FILHO!

Suando frio, o rapaz olhou para Pastilha e Paçoca, que o encaravam com um semblante solidário. Teve vontade de gritar. Olhou para Pimenta, Princesa e Peteca, que estavam sérios, indignados com aquela situação. Aquilo o fortaleceu. Desviou o olhar novamente e viu os irmãos Pinguim e Piolho, que pareciam esperar dele algum tipo de reação. Isso era tudo o que ele precisava.

— O senhor tem toda a razão, pai. Eu não mereço mesmo ser seu filho. Ninguém merece ser filho de um cara que ama mais o poder do que a própria família. Valeu por me fazer enxergar isso.

Moltoricco ficou vermelho e depois roxo, tamanha a raiva que estava sentindo. Quando seu rosto estava prestes a adquirir uma coloração púrpura, o homem explodiu feito uma bomba, destilando impropérios contra o próprio filho. O diretor Roger e o professor Pedro mandaram que ele respeitasse o rapaz e se calasse, mas o pedido de nada adiantou. O empresário xingava Mário de tudo quanto era jeito. A mãe do rapaz pediu, aos prantos, que o marido parasse com aquilo, sendo totalmente ignorada.

O filho do empresário foi chamado de ingrato, imbecil e traidor. Foi chamado de burro, incapaz e limitado. De ignorante, covarde e até de retardado. Algumas coisas que ouviu do pai sequer podem ser reproduzidas aqui. As palavras saíam da boca de Moltoricco numa velocidade tão grande que já nem afetavam o rapaz, que ouvia a tudo calado e de olhos fechados.

Foi quando algo estranho aconteceu.

Mário sentiu uma súbita pressão ao redor da cabeça e tudo pareceu escurecer um pouco. Ao olhar para o lado, viu que Paçoca estava bem ali, perto dele, encarando Murilo Moltoricco com ar de indignação.

O rapaz levou as mãos à cabeça. Sentiu que havia algo metálico ao redor de seu rosto, mas levou algum tempo até compreender o que era. Quando finalmente entendeu o que havia ali, levou um susto. Paçoca havia pego a máquina antibullying de Pastilha e enfiado em sua cabeça.

— Anda, xinga o seu filho, agora. Quero ver se tem coragem — desafiou o pequeno inventor, olhando feio para o milionário.

Moltoricco achou graça ao se ver sendo desafiado por uma criança. Com um ar de deboche, voltou-se para o filho e perguntou:

— Como assim, Mário, quer dizer que agora você vai se esconder atrás desse gorducho metido a sabichão, é? Que lástima...

— Não fala assim do Paçoca, pai! Ele acabou de salvar a sua vida.

— Ah, e isso faz dele o seu melhor amigo agora? Que bonito isso... Não era esse aí que você perseguia o tempo todo aqui na escola?

— Era, mas acontece que...

— Não quero saber de desculpas, Mário! Sabia que se um empregado meu começa a querer se justificar eu logo boto ele no olho da rua? Mas com você eu não posso fazer isso, né? Você é o meu filhinho, querido... Herdeiro do meu império! Que escolha eu tenho?

— Que escolha *você* tem?!? — o rapaz tinha agora os olhos inchados. — Que escolha *eu* tenho? Eu é que tenho vergonha de ser seu filho! Tenho tanta raiva de ter que voltar pra casa todos os dias e precisar olhar pra essa sua cara que... sei lá! Dá vontade de descontar essa raiva no mundo!

— Não fale assim com o seu pai, Mário!

— Para, mãe! Você também... Nunca fica do meu lado! Eu odeio vocês dois! ODEIO!

O herdeiro dos Moltoricco abaixou a cabeça e desandou a soluçar e a gritar de raiva. Mesmo tendo o rosto parcialmente oculto pela máquina antibullying, quis escondê-lo com as mãos. Todos na escola acompanharam a cena sem dizer uma só palavra. Havia um gosto amargo na boca de cada aluno e funcionário.

O empresário começou a rir diante do choro desolado do rapaz.

— É por isso que eu me envergonho de ter você como filho... Porque você, Mário, não passa de um *FRANGOTE!*

ZAAAP!

Moltoricco desapareceu em meio a uma nuvem de penas brancas. No instante seguinte, havia apenas um frango feioso em seu lugar, ciscando e cacarejando. Sua mulher teve um treco e desmaiou, precisando ser amparada pelo diretor da escola.

— Querida?!? O que... có-cóóó... O que vocês fizeram comigo? Có-cóó!

O frango, que tinha as exatas feições do empresário, batia as asas num ritmo insano, de tão apavorado que estava.

— Ah, agora sim você é um milho-nário! — brincou Piolho, levando a escola inteira ao delírio.

Até mesmo Mário enxugou as lágrimas e desandou a rir diante da situação vexaminosa em que o pai se encontrava.

— Ou você concorda em dar o dinheiro pra reforma da escola que você destruiu ou vai ficar desse jeito pra sempre! — ameaçou Paçoca, arrancando uma breve risada do diretor Roger, que tratou de se conter, mantendo a compostura.

— Isso se não acabar dentro de uma panela — completou Pastilha, recebendo o apoio de todos ao redor.

— Co-cóóó! Isso é chantagem! Co-cóóó!

— Você chama de chantagem, eu chamo de proposta — esclareceu o menino gênio. — E tem mais: pede desculpa agora pro Mário. Onde já se viu um pai falar assim com o próprio filho...

O frango engoliu em seco, sentindo todo o seu orgulho descer quadrado.

— Co-cóó! C-como espera que eu assine um cheque desse jeito? Com o bico? Co-cóóó...

— Anda, pede desculpas pra ele! — insistiu Pastilha.

Contrariado, o empresário olhou para Mário, que se obrigou a fazer uma cara séria diante daquela cena patética.

— Co-có... desculpe, filho...

— Fala mais alto, não escutaram você lá atrás.

O frango quis bicar a cara de Paçoca.

— Co-cóóóó... ME DESCULPA, FILHO. EU ERREI.

— Ainda achei um pouco fraco, mas não sei se uma galinha consegue falar mais alto que isso... — opinou Pimenta, arrancando ainda mais risadas.

— Mário, sua vez. Você também deve desculpas ao seu pai — explicou Pastilha.

— EU?!? Mas foi ele quem começou!

— Não interessa! Você deve desculpas a um monte de gente nessa escola. Aprontou comigo, com os meus amigos, com os professores... Mas acho que a gente é capaz de te perdoar, e também ao seu pai, se vocês dois fizerem as pazes.

— Ei, mas eu não perdôo o Mário de jeito nenhu... Aa-aii!! — Piolho olhou feio para Pinguim, de quem acabara de ganhar um belo beliscão no braço.

— E aí? Vão se acertar, ou não? — insistiu Juliana.

Mário e o frango trocaram olhares arrependidos. O rapaz respirou fundo, criou coragem, e falou:

— Me desculpa aí, pai. Mas, enfim... Eu... Sei lá, sabe... Eu acho que...

— Para de enrolar e vai direto ao ponto, Mário! — ameaçou Paçoca.

— Tá, tá bom... É que... Poxa, você é um cara muito complicado. Todo mundo aqui viu as coisas que você é capaz de fazer pra conseguir o que quer. Não é nada fácil ser seu filho, sabe? Acho que... sei lá... É meio que por isso que eu desconto a raiva que eu sinto de você, da vida cheia de regras que a gente leva, no povo aqui da escola.

— E você acha isso certo, Mário? — interveio o professor Pedro, num tom conciliador. — Acha justo passar essa raiva adiante e se vingar nos seus colegas que nada têm a ver com isso?

— Justo eu sei que não é, professor. Mas... quer saber? É muito fácil eu querer colocar a culpa por tudo o que eu fiz aqui na escola no meu pai. Falar que ser "o herdeiro dos Moltoricco" é muita pressão em cima de mim e coisa e tal. Mas, sei lá... Chega de ser covarde, né?

— Co-có... Por que diz isso, filho? Cóó...

— Porque eu fiz o que fiz porque achei engraçado, pai. Todas as vezes que eu bati em alguém no colégio, que eu roubei o lanche, que eu xinguei, ameacei... Eu fiz porque tava me divertindo. Só por isso. E é por isso que a Juliana tá certa em querer que eu peça desculpa. Ainda mais depois do que eles fizeram por mim hoje... Do que fizeram por você, pai. É o mínimo que eu posso fazer pra compensar.

— Co-có... Creio que talvez eu também tenha ido um pouco longe demais... Co-cóóó!

— Um pouco longe demais? — reagiu Pastilha, perplexa.

— Cóóó! Tudo bem, tudo bem... Eu admito que ultrapassei todos os limites! Mas é que essa máquina... Ela... Ela é maravilhosa! Có-có... Ela me faria saborear uma doce vingança daqueles que me perseguem, daqueles que me invejam e me desafiam. Cóóóóó... Ela seria a solução perfeita para muitos dos meus problemas.

— A máquina antibullying não é a solução de problema algum — afirmou Paçoca, aborrecido. — Ela só traz problemas!

Certo do que estava prestes a fazer, o menino inventor arrancou o capacete da cabeça do ex-valentão e o atirou com toda a força no chão, fazendo com que a máquina se espatifasse em dezenas de pedaços.

— CÓÓÓ-CÓÓÓÓÓÓÓ!! E EU?!?!

— Não se preocupe, Moltoricco, a máquina que conserta as coisas é a que eu estou usando — ao dizer isto, Paçoca disparou o raio reparador contra o frango.

ZAAAP!

Murilo Moltoricco aumentou de tamanho novamente e voltou ao normal. É verdade, contudo, que cuspiu umas duas ou três penas que havia engolido sem querer. O milionário olhou para os integrantes da turma da Página Pirata sem entender nada. Curioso, quis saber:

— Garoto, você me fez voltar ao normal sem que eu assinasse o cheque da reforma da escola. Por que fez isso? Quem disse que vou ajudar agora?

— Olha... Faz o que o senhor achar melhor — disse Paçoca, desanimado. — Acho que o maior lucro que eu posso esperar desse dia é o Mário manter a promessa de nos deixar em paz daqui pra frente. É só o que eu peço.

O filho do empresário olhou para o menino gênio com uma expressão sem graça e, ao mesmo tempo, arrependida. Por fim, estendeu a mão ao garoto e falou:

— Eu errei contigo. Toca aqui, você é um cara maneiro.

Todos os sete membros da Página Pirata ficaram de queixo caído. Aliás, não foram somente eles: a escola inteira parou, boquiaberta, diante daquele gesto, incluindo Meleca e Soneca, que pareciam não estar entendendo nada. Os pais de Paçoca trocaram um olhar cúmplice; a mãe do menino enxugou uma lágrima que escorrera pelo canto do rosto.

O pequeno inventor contemplava aquela mão enorme diante dele como se fosse um misterioso artefato alienígena, sem saber ao certo o que fazer em seguida. Pimenta precisou dar um empurrãozinho no amigo para que ele se recuperasse do susto e finalmente apertasse a mão de Mário. A escola quase veio abaixo com a algazarra feita pelos estudantes ao comemorarem aquela inimaginável reconciliação.

Mário se voltou para o pai, que o encarava com um semblante confuso. Como o rapaz não dizia nada, Murilo Moltoricco respirou fundo e, engolindo todo o orgulho acumulado em todos aqueles anos em que agiu mais como empresário do que como chefe de família, proferiu as únicas palavras que se via capaz de dizer ao filho naquele momento:

— Eu... Eu não deveria ter te chamado de frangote, filho... Aliás, eu não "deveria" várias coisas na minha vida. Mas é como eu sou. Amo o meu dinheiro. Amo o império que construí e jamais abrirei mão disso. Eu estaria mentindo se dissesse qualquer outra coisa a você. Por isso, não espere que eu vá mudar de uma hora para a outra, como você mudou. Você... é muito melhor do que o seu pai.

— Não sou melhor do que você, pai. Só não quero ser igual.

Moltoricco e o filho se entreolharam, sem terem mais o que dizer um ao outro. Por fim, o rapaz foi abraçar o pai. Com o milionário pego de surpresa, sem saber como corresponder àquela súbita e inédita demonstração de afeto, o abraço saiu todo desajeitado, tímido e pouco afetuoso. Mas aquilo já era um bom começo para aqueles dois. Aliás, foi um pontapé tão importante para o reinício daquela relação que a escola inteira aplaudiu.

O barulho fez a mãe de Mário recobrar os sentidos. Ao ver o marido e o filho se abraçando, a mulher desmaiou de novo. Aquilo fora demais até para ela.

— Geeenteeeeeem — falou Princesa, animadíssima —, agora que tudo acabou bem, eu acho mais do que obrigatória uma comemoração hoje à tarde lá na lanchonete do shopping! Que tal?

Todo mundo gritou de alegria, jogando as mãos para o alto.

— E eu tive uma ideia tão boa quanto essa! — disse Pastilha, sorridente. — Que tal a gente mudar o tema da próxima edição da Página Pirata e falar sobre o que a gente viveu aqui na escola esses dias? Quero escrever uma matéria sobre *bullying*!

— Que maravilha, Juliana! — comemorou o professor Pedro. — É um tema super atual e pertinente.

— É... e do qual a gente, infelizmente, pode falar com propriedade — completou Paçoca, triste.

— Fica assim, não, meu amigo — falou Pimenta, pousando a mão sobre o ombro do pequeno inventor. — Esse tempo já passou aqui na nossa escola.

— O Beto tá certo, Paçoca — disse Juliana, pegando nas mãos do colega de jornal. — E sabe por quê? Porque ainda que venham outros Mários, Melecas e Sonecas, fica aqui uma lição aprendida: não importa o que os outros digam da gente. O que importa é quem a gente é.

— E nós somos incríveis! — disse Peteca, erguendo a mão para colá-la sobre as de Pastilha e Paçoca.

— Somos siniiiiistros! — falou Pimenta, fazendo o mesmo.

— Maneirões! — observou Pinguim, se unindo aos demais.

— Uns fofos! — brincou Princesa, erguendo também o braço.

— E totalmente formidáveis! — completou Piolho, fechando o ciclo.

— PÁGINA PIRATA, SEMPRE, YEAH!!! — gritaram todos, jogando as mãos para o alto, com a escola inteira fazendo o mesmo e indo ao delírio.

Capítulo 19

Tempo de Aprender

Dona Lurdes acabara de entrar na sala para iniciar mais uma de suas temidas aulas de Geografia. Ela mal abriu a boca para falar e já foi logo sendo interrompida pelo barulho de obra que vinha do lado de fora. Irritada, a professora abriu a janela e colocou a cabeça para fora. Olhou para uns operários que estavam num andaime próximo, fazendo reparos no terraço do prédio principal, e gritou para eles que aquela não era hora de fazerem barulho. Fez ameaças, dizendo que se aquilo continuasse reclamaria diretamente com o diretor. Um dos homens balançou a cabeça, fez sinal de positivo e interrompeu o uso da ferramenta. Sem agradecer, a mulher fechou a janela. Dali a pouco o barulho recomeçou e a turma inteira achou a maior graça.

— Prefiro mil vezes ouvir barulho de obra do que a voz de gralha da dona Lurdes! — sussurrou Piolho, arrancando risos de Pimenta, que teve que se segurar para não chamar a atenção da professora. Para não correr riscos, ele anotava tudo o que ela dizia, palavra por palavra. Não cairia no sono de novo de jeito nenhum!

Enquanto a professora escrevia no quadro a matéria que iria cair na prova da semana seguinte, Pastilha conferia rapidamente os itens de uma lista que tinha anotado em seu caderno. Aquilo chamou a atenção de Paçoca, que cochichou para a amiga, perguntando do que se tratava.

— É uma lista de otorrinolaringologistas que fiquei de indicar pro Meleca — sussurrou Juliana. — Lembra que eu conversei com ele, e falei que aquele volume de secreção que sai do nariz dele não é normal? Ele me ouviu e foi todo gentil, me agradeceu por estar preocupada, aí minha mãe me ajudou a escolher alguns bons médicos com quem eu já me consultei pra indicar pra ele.

— Que bom! Eu conversei com ele também. Até que é um cara legal, né? Digo, agora que não implica mais com a gente...

— Verdade! Fiquei surpresa também. E o Soneca, tadinho? Agora tá todo mundo zoando ele só porque descobriram que é gago. Já indiquei também pra ele uma lista de fonoaudiólogos, falei que tem tratamento, incentivei ele a ir se cuidar. Ficou todo animado.

Dona Lurdes interrompeu a escrita no quadro e se virou para encarar aqueles dois.

— A conversa aí está boa? Estou atrapalhando alguma coisa?

Pastilha e Paçoca ficaram muito sem graça e se apressaram em pedir mil desculpas. Voltaram a tomar nota de tudo o que cairia na prova. A turma inteira riu bem baixinho.

— Cara, em que mundo nós estamos onde até os mais inteligentes da escola levam bronca de professor? — cochichou Piolho, fazendo Pimenta rir um pouco mais alto do que deveria.

Dona Lurdes se virou novamente, encarando o rapaz com desprezo.

— Mas será possível? Roberto, pode me dizer o que é tão engraçado? Quero rir também!

Pimenta engoliu em seco; ia começar tudo de novo. Piolho abaixou a cabeça, se sentindo mal por ter colocado o amigo em maus lençóis.

— Anda, Roberto. Diga para toda a turma o que há de tão engraçado.

— É q-que... Bem... Foi engraçado o jeito como a s-senhora falou com a Pastilh... digo, com a Juliana e o Plínio.

— Ah, foi? — a professora o encarava com um semblante irônico, olhando-o por cima dos óculos.

— Foi... um p-pouco. Eu achei... Sabe?

— Achou, é? — dona Lurdes abandonou o quadro e foi até a carteira que Pimenta e Piolho dividiam. A turma inteira acompanhou o caminhar da professora, esperando pelo pior.

Dona Lurdes parou diante da mesa e apanhou o caderno de Beto. Ela o folheou, esperando ver algum de seus famosos rabiscos. Mas o que viu ali foram páginas e páginas com toda a explicação que ela havia dado, tudo devidamente anotado, bem como os tópicos que cairiam na prova, que ela havia acabado de escrever no quadro.

— Esse caderno é seu?

— É, sim, fessora! Claro que é.

A mulher não escondeu sua decepção. Devolveu o caderno ao rapaz e mandou que ele nunca mais conversasse durante a sua aula. Pimenta respirou aliviado.

Dona Lurdes voltou ao quadro e, dando as costas para a turma, retomou a escrita.

Nenhum aluno percebeu, mas ela estampava no rosto um largo sorriso. Sentia-se incrivelmente orgulhosa por ter constatado o esforço daquele jovem a quem sempre julgara tão mal.

Pois é. Quem disse que, numa escola, apenas os professores têm lições a ensinar?

Edição Extra!

Como lidar com o bullying?

por Pastilha

Bullying é um termo muito novo para identificar abusos muito antigos. Abusos que acontecem desde que nossos pais, avós, bisavós e até tataravós eram crianças.

O termo surgiu na década de 80, e é originário da palavra inglesa *bully,* que quer dizer ameaçar, intimidar, maltratar. Cai como uma luva, não?

Durante a pesquisa para escrever essa matéria, me deparei com a seguinte definição de *bullying*:

"*São atos de violência física ou psicológica* (sei como é...), *intencionais e repetidos* (põe repetidos nisso!), *praticados por um indivíduo ou grupo de indivíduos causando dor e angústia* (nem me fale...), *sendo executados dentro de uma relação desigual de poder.* (fato!)"

Dar um nome a essa prática já foi um bom começo para que o problema começasse a ser debatido e, principalmente, combatido. Nossa escola foi palco recente de um caso de *bullying*. Sei que muitas pessoas que vão ler esta matéria já passaram pela mesma situação ou conhecem alguém que passou. Muitos até podem já ter praticado *bullying* contra seus colegas. "Buuuuu" pra vocês.

O assédio escolar é um problema muito grave, que leva tanto o agressor quanto a vítima a desenvolverem sérios problemas psicológicos. Afinal, não é normal uma pessoa querer ofender e agredir a outra só por diversão, assim como não é normal um jovem passar a ter medo de ir para a escola por não querer apanhar.

Todos nós aprendemos com os eventos recentes que fizeram a nossa escola virar de ponta-cabeça. O que aconteceu aqui serviu para nos mostrar que, infelizmente, todos nós temos um "valentão" adormecido dentro de nós, que só precisa de uma oportunidade para se manifestar. Ou de um colega mais fraco. Ora, quem foi afetado pela máquina do Paçoca só foi vítima de sua própria intolerância. Afinal, é muito mais fácil xingar o outro do que tentar ajudá-lo, não é? Eu defendo o seguinte lema: respeite o outro se quiser ser respeitado.

Não estou aqui tentando defender e muito menos justificar o que o meu colega de jornal fez. Trazer para um ambiente escolar uma máquina capaz de transformar as pessoas foi, no mínimo, um gesto inconsequente. Entendo, contudo, que foi uma medida desesperada. Só quem é ou já foi vítima de *bullying* sabe o desespero que dá quando a gente não sabe mais o que fazer para se defender.

Acredito que nossa escola ficará livre do *bullying* por algum tempo. Mas isso não irá durar para sempre. É verdade que as pessoas aprendem com seus erros, mas a maioria delas também têm memória curta, de modo que já já teremos outro chato aprontando por aqui, se achando o maioral. Será um covarde, que agirá sempre quando os professores não estiverem olhando, descontando nos outros as próprias frustrações. É preciso que estejamos preparados para lidar com a situação caso ela volte a acontecer.

O primeiro passo para superar o *bullying* é a autoconfiança. Se um valentão vier confrontá-lo, procure se manter superior e não demonstre medo. É muito difícil, eu sei, mas se você acreditar em si mesmo e ignorar as agressões verbais ou os apelidos, as chances de sofrer intimidação irão diminuir bastante.

O segundo passo, como já adiantei, é tentar ignorar a agressão. Chorar, espernear, reclamar, isso tudo funciona como uma recompensa para quem pratica o *bullying*. É justamente isso o que ele quer. Não dê esse gostinho a ele.

O terceiro passo é contar aos seus pais e professores o que está acontecendo. Sei que é difícil criar coragem para falar sobre o assunto. Eu mesma me arrependo de ter tido receio em expor a questão em minha casa, com medo da reação dos meus pais. Gente, ninguém deve enfrentar o *bullying* sozinho!

Torço para que essa minha mensagem faça a diferença e contribua para minimizar esse mal que tanto aflige os nossos jovens. Você, que está lendo o que eu escrevo, lembre sempre das três regrinhas: Seja autoconfiante. Ignore. Denuncie.

Ah, e se por acaso você que está lendo o meu texto agora pratica *bullying* em alguém, deixo um alerta: sua vítima de hoje poderá ser o seu chefe de amanhã. O mundo dá voltas.

Pastilha

Editora-Chefe da Página Pirata

A turma da Página Pirata também está em ***Palladinum*** vivendo a maior aventura de suas vidas no mundo dos Sonhos e Pesadelos.

Saiba mais em: www.palladinum.com.br

A diversão continua na Internet:
www.paginapirata.com.br
www.palladinum.com.br

E no Facebook:
www.facebook.com/PaginaPirata
www.facebook.com/Palladinum

Siga o autor Marcelo Amaral:
www.twitter.com/marcelgom
www.facebook.com/marcelgom